La fa

PATRICIA THAYER

La famille idéale

COLLECTION HORIZON

éditions Harlequin

Cet ouvrage a été publié en langue anglaise
sous le titre :
LIGHTS, ACTION... FAMILY !

Traduction française de
CHRISTINE BOYER

HARLEQUIN®

est une marque déposée du Groupe Harlequin
et Horizon® est une marque déposée d'Harlequin S.A.

83-85, boulevard Vincent-Auriol, 75013 PARIS — Tél. : 01 42 16 63 63
Service Lectrices — Tél. : 01 45 82 47 47
ISBN 978-2-2801-4532-9 — ISSN 0993-4456

1.

Arizona, 6 juin 1904
Aujourd'hui, Rebecca, ma ravissante épouse, et moi avons découvert l'endroit idéal pour bâtir notre maison, une vallée luxuriante entourée de montagnes majestueuses. C'est ici que tout va commencer…
Journal de Jacob

Du haut de son Stetson à la pointe de ses bottes de cuir, en passant par la boucle de son ceinturon, l'homme qui poussa la porte du Café des Amis était un vrai cow-boy.

Au premier regard, Emily Hunter en eut la certitude absolue ; elle avait grandi dans un ranch au milieu d'eux.

Debout derrière le comptoir, elle observa l'inconnu, ses larges épaules qui remplissaient sans problème une chemise beige, ses longues jambes musclées et ses hanches étroites serrées dans un jean délavé, ses traits coupés au couteau, ses yeux pénétrants.

Comme il la saluait d'un bref hochement de tête, son cœur s'accéléra. Elle s'apprêtait à lui sourire pour lui souhaiter la bienvenue lorsqu'elle aperçut la fillette qui l'accompagnait. De grosses boucles brunes encadraient son petit visage, et elle avait les mêmes prunelles que son papa, serties des mêmes cils interminables. Agée de quatre ou cinq ans, elle serrait sous son bras un ours en peluche et jetait autour d'elle des regards craintifs.

L'homme prit l'enfant par la main et s'avança vers le zinc. Sans effort, il la souleva pour l'asseoir sur un tabouret et retira son chapeau, découvrant des cheveux bruns. Après s'être assuré que la fillette était bien installée, il s'accouda au comptoir.

Avec un effort visible, Emily s'interdit d'admirer plus longtemps ce séduisant cow-boy. Manifestement, il était marié et père de famille. Se rappelant brusquement qu'elle était ici pour travailler, elle remplit deux verres d'eau. Lorsqu'elle avait décroché son diplôme de fin d'études, elle avait cru qu'elle n'aurait plus jamais l'occasion de jouer les serveuses en intérim pour arrondir ses fins de mois. Mais Sam Price, un grand ami de sa famille et le propriétaire du Café des Amis, lui avait demandé de le dépanner, son employée habituelle devant se rendre chez le dentiste. Comme Emily avait quelques jours de liberté avant de démarrer son grand projet au ranch familial, elle avait accepté avec plaisir.

Un sourire chaleureux aux lèvres, elle salua ses clients et posa les verres d'eau devant eux.

— Bonjour, leur dit-elle en leur tendant la carte. Que désirez-vous ?

Quand elle croisa le regard de l'inconnu, elle se demanda un instant si elle ne rêvait pas tout éveillée. De près, l'homme était d'une beauté à couper le souffle.

— Je prendrai un café pour commencer, répondit-il d'une voix grave.

Le cœur battant, Emily se retourna pour actionner le percolateur et bientôt, posa une tasse fumante devant son client. Puis elle se pencha vers la fillette. L'enfant portait un T-shirt de coton rose chiffonné et un peu trop grand pour elle. Visiblement, son papa n'était pas féru de mode.

— Et toi, que veux-tu boire, ma puce ? s'enquit Emily. Un verre de lait ? Du jus d'orange ?

— Donnez-lui du lait, répondit l'homme avant de caresser les boucles brunes de la petite fille. Qu'aimerais-tu manger, Sophie ?

La fillette leva vers lui ses grands yeux qui paraissaient dévorer son visage avant d'esquisser un geste d'ignorance.

Devinant sa timidité, Emily lui sourit.

— Sophie est un très joli prénom, tu sais. Moi, je m'appelle Emily et je suis très contente de faire ta connaissance. Je parie que tu as… quatre ans.

La petite hocha la tête, serrant son ours en peluche un peu plus fort contre elle, et la jeune femme poursuivit :

— Tu vois, quand j'avais ton âge, mon papa m'emmenait souvent dans cette brasserie. Et je prenais chaque fois des pancakes arrosés de sirop d'érable. Sam, le patron, les fait comme personne.

Elle se pencha davantage et murmura :

— Voudrais-tu en goûter ?

Comme l'enfant restait silencieuse, l'inconnu intervint :

— Ma nièce est toujours un peu intimidée par les gens qu'elle ne connaît pas.

Reece McKellen poussa un soupir ennuyé. Depuis qu'elle était venue vivre avec lui, un mois plus tôt, Sophie n'avait pas prononcé plus d'une dizaine de mots. Mais comment aurait-il pu le lui reprocher ? Elle avait connu tant d'épreuves depuis sa naissance. Il avait bien l'intention d'effacer tout le chagrin qui avait terni sa courte vie, mais il se sentait parfois démuni devant cette nièce qui lui était tombée du ciel. Dans l'immédiat, il voulait tenter de la rassurer, de la convaincre qu'il ne l'abandonnerait pas, contrairement à tous ceux qu'elle avait aimés ; et cela promettait d'être un travail à plein temps.

— Apportez-nous deux assiettes de pancakes et deux verres de lait, s'il vous plaît, commanda-t-il.

— Excellent choix, répondit la jeune femme en le gratifiant d'un grand sourire.

En la regardant s'activer, Reece ressentit un petit pincement au cœur. Avec ses cheveux bruns, ses grands yeux bleus et ses lèvres bien dessinées, elle aurait tourné la tête de bien des hommes. Son uniforme moulait un corps de reine, et à la vue de ses longues jambes galbées, son rythme cardiaque s'accéléra. Il se ressaisit rapidement. Un mois plus tôt, il n'aurait pas hésité à lui faire un brin de charme, mais aujourd'hui, tout avait changé. Depuis quelques semaines, il n'avait plus rien du célibataire libre comme l'air et toujours prêt à tenter sa chance auprès des femmes. Désormais, il était responsable de sa nièce. Et surtout, il lui fallait découvrir le moyen de s'occuper, en même temps, d'une enfant à plein temps et de son travail qui n'avait rien d'un petit travail tranquille…

Ce qui lui apparaissait comme un véritable casse-tête.

Déjà, l'assistante sociale chargée de veiller sur Sophie lui avait reproché d'emmener la fillette loin de son cadre de vie habituel et de lui imposer, pendant plusieurs mois, une existence chaotique. Mais qu'aurait-il pu faire d'autre ? Il avait besoin de gagner sa vie pour pouvoir s'établir définitivement quelque part pour Sophie. Voilà pourquoi il était venu à Haven, en Arizona.

Il avala une gorgée de café et regarda sa nièce. Elle était la version miniature de Carrie au même âge. Une sourde douleur serra aussitôt sa poitrine. Même s'il n'était pas la personne idéale pour jouer le rôle de père de substitution, il avait bien l'intention, cette fois-ci, de faire de son mieux.

Emily sentait la présence de l'homme à l'autre bout du comptoir, et malgré ses efforts, elle ne parvenait pas à détacher son regard de lui. Quand leurs commandes furent prêtes, elle les posa devant eux sur le zinc.

— Et voilà deux pancakes au sirop d'érable ! annonça-t-elle, guettant la réaction de la fillette. Et pour les petites filles sages, Sam a prévu une surprise, ajouta-t-elle en lui montrant le visage souriant que le patron avait dessiné sur les crêpes avec de la confiture. Tu vois le petit bonhomme ?

La joie qui éclaira un instant le regard de l'enfant lui réchauffa le cœur et elle se tourna vers son oncle.

— J'espère que cela ne vous ennuie pas que Sam ait rajouté de la gelée.

— Pas du tout, assura-t-il en souriant. Comme vous pouvez le constater, Sophie a besoin de se remplumer.

Malgré les milliers de questions qui lui brûlaient la langue, Emily ne voulait pas être indiscrète et s'interdit de les interroger davantage. La petite Sophie et son oncle étaient sans doute de passage.

— Jusqu'où allez-vous ? ne put-elle s'empêcher de demander.

L'homme inonda ses pancakes de sirop avant de répondre.

— Nous sommes arrivés.

— Vous avez l'intention de vous installer à Haven ? s'étonna-t-elle.

— De façon temporaire seulement. Je vais travailler dans le coin quelque temps.

Emily le regarda avec attention sans oser le questionner davantage. A présent, il éveillait franchement sa curiosité. Peut-être s'était-il fait embaucher dans un des ranchs de la région même s'il était peu habituel d'engager de la main-d'œuvre supplémentaire à cette époque de l'année. Elle se demanda un instant si elle aurait l'opportunité de le revoir par la suite. Mais elle se ressaisit très vite. L'endroit où il avait trouvé du travail comme le fait qu'il soit divinement beau n'avaient aucune importance. D'ailleurs, elle avait d'autres soucis en tête.

Sa carrière devait devenir la priorité absolue dans sa vie.

— Alors, bonne chance, lui dit-elle en s'éloignant.

Elle s'empara d'un chiffon et se mit à astiquer le zinc.

Depuis des années, le Café des Amis était une brasserie très prisée par les habitants de la petite ville de Haven. La nourriture y était excellente, l'ambiance chaleureuse. Mais à 10 heures du matin, un jour de semaine, le lieu était désert. Pour le moment, le cow-boy et l'adorable petite fille étaient ses seuls clients.

N'ayant pas arrêté de s'activer de 6 heures à 8 heures, Emily se félicitait de cette accalmie. Mais elle avait cependant hâte de retourner au ranch voir ce qui s'y passait. Son frère avait-il fini de construire la réplique de la cabane de trappeur de leur aïeul ? L'équipe du film était-elle arrivée ? Depuis quinze jours, il se passait sans cesse quelque chose de nouveau. Lorsque Sam lui avait demandé de le dépanner pour assurer le service à la brasserie, elle avait accepté, persuadée que prendre un peu de recul par rapport à son projet lui ferait bien. D'ailleurs, ses frères, Nate et Shane, n'avaient pas été mécontents de la savoir au loin, au moins pour une journée. Ils étaient surtout soulagés de ne pas l'avoir dans les jambes.

Mais elle était quand même là-bas, rêvait aux semaines à venir et sentait croître son excitation. Comment s'en étonner ? Un film allait être réalisé à partir de son scénario *Les Hunter de Haven* ! Un film qui allait être tourné au ranch familial, l'endroit où l'histoire originale était née. En proie à une joie soudaine, elle se dirigea vers le juke-box. Repérant deux de ses chansons préférées dans la sélection de vieux tubes de Sam, elle introduisit des pièces de monnaie dans l'appareil. Et bientôt, les accords de *My girl* emplirent la salle.

Armée d'un balai, la jeune femme serpenta entre les tables. Par la baie vitrée, elle remarqua un gros camion cabossé garé devant l'établissement. Il n'était pas immatriculé dans l'Arizona mais elle ne parvint pas à distinguer d'où il venait.

Le disque prit fin, remplacé aussitôt par une vieille ballade de Percy Sledge, *When a man loves a woman.* Tout en s'activant, Emily fredonnait la chanson sans s'en rendre compte. Elle aperçut soudain le reflet du cow-boy dans le grand miroir mural. Il sirotait son café tout en l'observant avec un certain amusement.

Quand leurs regards se croisèrent, un long frisson la parcourut. Mais soudain, Sam l'appela, rompant le charme.

— Emily !

Elle détourna la tête et se dirigea vers la cuisine, furieuse d'avoir laissé l'inconnu la troubler à ce point.

Après avoir répondu à la question de Sam, elle revint balayer la salle et s'aperçut que la petite Sophie la dévisageait de ses grands yeux. Malgré elle, l'expression solennelle de l'enfant la toucha. La fillette lui adressa un demi-sourire qui disparut aussi vite qu'il était apparu.

Emily se réinstalla derrière le zinc.

— Alors, votre petit déjeuner était-il bon ?

— Délicieux ! assura l'homme en sortant un billet de son portefeuille. A présent, nous ferions mieux de partir.

La petite fille tira alors sur la manche de son oncle l'obligeant à se pencher vers elle. Comme elle lui murmurait quelque chose à l'oreille, il regarda Emily.

— Ah oui ! Pouvez-vous m'indiquer les toilettes ?

— A l'arrière de la salle. Si vous voulez, je m'en occupe.

Il parut hésiter quelques secondes.

— Sophie, es-tu d'accord pour y aller avec Emily ?

Les yeux de l'enfant s'écarquillèrent mais elle hocha la tête en silence.

— Très bien, alors viens avec moi, ma puce, dit Emily en lui tendant la main, touchée de la confiance que lui témoignait la fillette.

Quelques instants plus tard, toutes deux remontèrent dans la salle où l'homme les attendait patiemment.

— Merci, dit-il tandis que Sophie se collait contre lui.

— Pas de problème. Entre filles, il faut s'entraider, n'est-ce pas, Sophie ?

La fillette lui adressa un pâle sourire, et Emily se rendit compte soudain qu'elle n'avait pas envie de les voir partir.

— Il est temps pour nous de vous laisser, décida

l'homme en s'emparant de son chapeau. Merci de votre aide… Emily.

— De rien, répondit-elle, sincère. Peut-être à bientôt.

Bon sang ! Pourquoi avait-elle dit pareille bêtise !

— Je ne pense pas avoir l'occasion de revenir. Je vais être très occupé. Pourriez-vous, par contre, m'indiquer le chemin ?

— Bien sûr. Où souhaitez-vous vous rendre ?

— Au ranch double H.

A ces mots, Emily eut du mal à ne pas sauter de joie. Son frère Nate avait-il embauché cet homme ?

— Mais ils n'ont pas besoin de monde, actuellement, avança-t-elle.

— Je vais pourtant tenter ma chance. Quelle route dois-je emprunter pour y aller ?

— Retournez sur la nationale. Dans une dizaine de kilomètres, vous atteindrez un carrefour. Tournez alors à gauche, et huit cents mètres plus bas, vous y serez. De vieux chênes encadrent l'entrée de la propriété.

Il hocha la tête, prit la main de la fillette dans la sienne et se dirigea vers la sortie. Par-dessus son épaule, Sophie jeta un dernier regard à Emily et lui adressa un geste timide pour lui dire au revoir.

Le cœur de la jeune femme se serra. A travers les baies vitrées, elle les vit se diriger vers le vieux camion et sa bétaillère. Manifestement, l'homme et l'enfant venaient de loin. Allait-il de travail en travail en vivant dans ce véhicule ? Et où se trouvaient la mère et le père de la petite ?

— Sam ! cria-t-elle soudain. Je dois retourner au ranch.

Un homme âgé d'une cinquantaine d'années sortit de la cuisine en se grattant la tête.

— Emily, j'ai vraiment besoin d'un coup de main à l'heure du déjeuner.

— D'ici là, Margaret sera revenue.

— Bien sûr, mais Nate et Shane sont tout à fait capables de s'occuper de tout là-bas, tu sais.

— Je n'y vais pas pour les embêter. Mais j'aimerais dire quelque chose à Nate.

Après s'être arrêté dans un supermarché du centre-ville pour acheter de quoi manger et faire le plein du camion, Reece se dirigea vers le ranch double H. Avec un enfant sur les bras, travailler allait devenir plus ardu. Les cascades demandées étaient d'ordinaire assez basiques ; il s'agissait de voltiges à cheval, rien de très compliqué. Mais maintenant, il avait la responsabilité d'une petite fille et cela changeait tout. Il avait accepté de jouer les cascadeurs sur ce tournage avant de connaître l'existence de sa nièce, et si Jason Michael, le producteur du film, n'avait pas autant insisté, il aurait sans doute décliné sa proposition. Mais Jason lui avait assuré que dès leur arrivée, il l'aiderait à trouver un logement et une personne pour s'occuper de la fillette.

Soudain, une vague de culpabilité le submergea tandis que de vieux souvenirs remontaient à sa mémoire. Sa sœur, Carrie, avait trois ans de moins que lui. Tous deux n'avaient pas eu le même père, et leur mère ne s'était jamais beaucoup souciée d'eux. Mais malgré les difficultés, ils étaient ensemble, ils se soutenaient. Malheureusement, quand Gina McKellen les avait abandonnés, les services sociaux les avaient séparés. Reece avait alors promis à Carrie qu'ils se retrouveraient un jour et ne se quitteraient plus.

Lorsque, des années plus tard, il avait dit adieu à sa famille d'accueil, il s'était mis à la recherche de sa sœur. Il avait fini par la retrouver, vivant dans les rues parmi des voyous, le cœur habité par la haine et la colère. Elle avait refusé de le revoir. A sa mort, il avait été bouleversé d'apprendre qu'elle lui avait confié sa fille.

A trente-deux ans, Reece était donc devenu papa du jour au lendemain. Il n'avait pas hésité un instant à se charger de l'enfant ; il en faisait un devoir sacré. Mais ce n'était qu'à son arrivée à l'orphelinat de Dallas, quand il avait vu cette fillette à l'air perdu, qu'il avait mesuré à quel point elle était importante pour lui. Lorsqu'elle avait planté sur lui ses grands yeux bruns et murmuré « Oncle Reece », il s'était juré de ne jamais l'abandonner et de lui offrir un jour la maison qu'il n'avait pu donner à Carrie.

Il n'était sans doute pas de l'étoffe dont on fait les pères, Dieu sait qu'il n'avait aucune expérience dans ce domaine, mais Sophie serait sûrement plus heureuse avec lui que dans une famille d'accueil. Il ne lui restait plus qu'à lui apporter la stabilité d'un foyer.

Quand l'assistance sociale, Mme Reynolds, avait vu son petit deux pièces à Los Angeles, elle avait fait la moue.

Depuis des années, Reece caressait l'idée d'acquérir un ranch au Texas pour y dresser des chevaux ; et son métier de cascadeur lui donnerait un jour la possibilité de réaliser son rêve. Cependant, même s'il économisait sur tout, il n'avait pas encore réuni la somme suffisante. Travailler pour Michael Jason lui permettrait de gagner l'argent nécessaire et aussi de convaincre Mme Reynolds de son sérieux et de sa volonté d'élever Sophie dans les meilleures conditions. Mais dans l'immédiat, comme il n'avait pas encore la garde officielle de sa nièce, il devrait recevoir la visite des services sociaux locaux. L'enjeu était important. Il ne pouvait se permettre de faire la moindre erreur.

Il poussa un long soupir. D'abord, il lui fallait trouver un logement acceptable pour la durée de ce tournage à Haven. Ensuite, il chercherait une nourrice qui se chargerait de l'enfant pendant ses heures de travail. Ses pensées revinrent à la serveuse du Café des Amis. Elle saurait certainement s'occuper de Sophie, mais elle refuserait sans doute de lâcher sa place au café pour faire du baby-sitting. Cela valait sans doute mieux. Cette Emily ne manquait pas de charme, certes, mais entre Sophie et son nouvel emploi, il avait déjà fort à faire ; il n'avait pas besoin de complications supplémentaires.

Mais Jason s'était certainement occupé des problèmes d'intendance.

Arrivé au carrefour que lui avait indiqué la jeune femme, il contempla un instant la vue. Le paysage était beau à couper le souffle. Au loin, les montagnes escarpées se détachaient sur un ciel d'azur sans nuages. L'idée de vivre dans une si jolie région pendant quelques semaines n'était pas sans lui déplaire.

Il arriva bientôt devant le bosquet de chênes plantés

à l'entrée de la propriété de Nate Hunter. Avec envie, il admira les barrières blanches, les écuries de brique rouge. A sa gauche, il vit un étalon galoper dans un immense champ, lui rappelant qu'il devait s'occuper sans tarder de ses propres montures, Toby et Shadow.

Au détour du chemin, une gentilhommière ocre dont les siècles avaient blanchi les murs surgit dans un écrin de verdure.

— Regarde la belle maison, oncle Reece, murmura Sophie.

— Oui, elle est très belle, répondit-il, heureux de l'entendre engager la conversation.

— Et il y a aussi de jolies fleurs, ajouta-t-elle, émerveillée.

Il sourit tout en conduisant son camion sur le parking derrière les écuries. Songeant à ses deux chevaux restés trop longtemps confinés, il s'arrêta sous un arbre pour mettre son véhicule à l'abri du soleil de ce mois d'août et se tourna vers Sophie.

— Chérie, je dois sortir Toby et Shadow. Alors tu vas m'attendre ici, d'accord ?

— D'accord, accepta-t-elle de bonne grâce en s'emparant de son ours en peluche et en le serrant contre elle.

Reece sauta à terre, se dirigea vers l'arrière de

la bétaillère et l'ouvrit. D'habitude, lorsqu'il se trouvait sur un tournage, il couchait dans la cabine de son camion, mais avec Sophie, ce ne serait pas possible. Les entreprises cinématographiques hébergeaient souvent une partie de leur personnel dans des roulottes qui étaient, en général, réservées aux acteurs. Les cascadeurs n'avaient jamais droit à ce traitement de faveur. Il ignorait quel arrangement Jason avait prévu pour lui, mais il espérait qu'il ne serait pas installé trop loin du ranch et que l'endroit serait assez confortable pour Sophie.

Il rejoignit ses chevaux, partenaires fidèles de ses numéros de voltige.

— Comment ça va mes tout beaux ? leur lança-t-il en flattant leurs flancs.

Avec douceur, il détacha Toby et le fit descendre le long de la rampe. Le cheval se mit à caracoler pour lui faire comprendre qu'il avait envie de galoper dans l'herbe.

— Désolé, mon vieux, ce n'est pas le moment.

Il l'attacha à la barrière et repartit chercher la jument, Shadow. Il l'aidait à s'extraire du camion lorsqu'il entendit une voix féminine lui lancer :

— Je vois que vous avez trouvé le chemin !

Il se retourna et découvrit la serveuse du café debout à côté de la remorque. Cette fois, elle était vêtue d'un jean, de bottes et d'un corsage bleu qui mettait ses yeux en valeur. Seigneur ! Elle était encore plus belle que dans son uniforme.

— Oui, merci pour vos indications.

Comme il menait Shadow à côté de son compagnon, il s'aperçut que la jeune femme le suivait.

— Ecoutez Emily, si je vous ai donné l'impression que vous et moi... pouvions envisager quelque chose ensemble, j'en suis désolé. Comme je vous l'ai dit, je vais être très occupé.

Elle se raidit et son visage se durcit.

— Parce que vous croyez que je vous cours après ? répliqua-t-elle d'un ton sec.

— Vous êtes très attirante mais je n'ai franchement pas le temps actuellement.

A ces mots, il vit la jeune femme blêmir de colère. S'il n'avait pas été entouré de ses chevaux, elle l'aurait frappé, sans aucun doute.

— Vous me semblez bien sûr de vous, cow-boy, lui rétorqua-t-elle. Je suis là uniquement pour vous aider.

— Eh bien, je vous remercie mais je suis capable de me débrouiller tout seul.

Et il repartit vers son camion, laissant la jeune femme bouche bée.

D'un air décidé, elle lui emboîta le pas.

— J'en doute. Pas si vous êtes ici pour trouver du travail. Nate est…

— Salut, Em ! lança un homme vêtu d'un uniforme de shérif qui arrivait à leur rencontre. Je savais bien que tu ne pourrais pas t'empêcher de revenir tourner autour de nous.

Emily lui jeta un regard noir.

— Il faut bien que quelqu'un garde un œil sur vous, répliqua-t-elle, contrariée de s'apercevoir que tout le monde souhaitait l'éloigner des préparatifs du film.

L'attention de Nate se tourna vers le nouvel arrivant.

— Bonjour, je suis Nate Hunter, lui dit-il en lui tendant la main. Le frère de cette charmante jeune femme.

— Reece McKellen. Bonjour.

A ce nom, un grand sourire éclaira le visage de Nate.

— Nous vous attendions.

Emily regarda son frère sans comprendre.

— Tu l'as embauché ?

— Moi non, mais Jason oui. Jason, ton ami producteur, tu t'en souviens ?

Décontenancée, la jeune femme sentit la chaleur envahir ses joues.

— Vous auriez dû le dire, lança-t-elle à Reece d'un ton accusateur. Je n'y étais pas du tout.

Mais Nate enchaîna :

— Em, je te présente Reece, le cascadeur du film. Reece, voici Emily Hunter, l'auteur des *Hunter de Haven*.

Reece, visiblement surpris, ne sut que répondre. Mais très vite, il reprit contenance, toucha son chapeau et murmura :

— Bonjour, mademoiselle.

Puis il retourna sans plus de manières vers son camion.

Ainsi la serveuse du Café des Amis était également la scénariste et l'écrivain Emily Hunter, se dit-il. Vu les étincelles qui jaillissaient entre eux, collaborer avec elle risquait de poser des problèmes s'il n'y prenait garde. Mais de toute façon, il devait se concentrer sur ses deux priorités : ses responsabilités professionnelles et Sophie.

Il ouvrit la cabine du camion. Il régnait une chaleur étouffante.

— Je suis désolé, ma chérie, dit-il à sa nièce.

A la hâte, il détacha la fillette de son siège pour la poser dans l'herbe. Puis il sortit une bouteille d'eau de la glacière et lui donna à boire.

Il avait toujours aimé travailler pour le cinéma,

et il savait qu'il n'avait rien à envier aux meilleurs professionnels. Enfant, il avait grandi dans une famille d'accueil vivant dans un ranch. Il s'était senti immédiatement proche des chevaux et depuis lors, il n'avait jamais cessé de monter.

D'après le réalisateur, Trent Justice, les voltiges exigées par le scénario n'étaient pas compliquées. Il y aurait quelques scènes de poursuites, et il lui faudrait sauver une femme, incarnée par Jennifer Tate, sur une monture emballée.

Une fois de plus, Reece se demanda si ce travail ne risquait pas de lui apporter plus d'ennuis que d'argent. Peut-être aurait-il du mal à se consacrer à ses activités avec toute l'attention requise alors que Sophie se remettait à peine de la mort de sa mère. Comment se comportait un père responsable ? Devait-il renoncer à ce film et s'employer dans un ranch au Texas ? Même s'il était moins bien rémunéré qu'un cascadeur, au moins pourrait-il assurer à sa nièce un logement et une vie normale.

Et Emily Hunter ne serait plus là pour le distraire. Une petite voix lui soufflait que cette trop jolie personne représentait un danger.

Quand il vit la jeune femme se diriger vers lui, sa gorge se serra. Elle était belle, c'était indéniable, et il lui fallait absolument garder ses distances. Elle était liée au monde agité de Hollywood, et certainement très ambitieuse. Lui, à la fin de ce film, quitterait définitivement l'univers du cinéma pour élever Sophie dans de meilleures conditions.

Il poussa un long soupir.

La vie serait certainement plus simple si Emily Hunter n'avait été que la jolie serveuse du Café des Amis…

2.

Hier, j'ai commencé la construction de l'étable. Elle doit être solide pour résister aux canicules, aux grands froids et aux pluies diluviennes. En Arizona, les variations de climat sont tellement extrêmes ! De son côté, Becky a entrepris de retourner un lopin de terre pour en faire un potager. Vu la chaleur ambiante, ce fut un travail très pénible ! Mais mon épouse adorée l'a abattu sans perdre le sourire.

Journal de Jacob

— Pourquoi ne m'avez-vous pas dit que vous faisiez partie de l'équipe de tournage ? demanda Emily, debout devant le camion.

— Je pourrais vous retourner la question, répliqua Reece tout en aidant Sophie à boire. Et d'ailleurs, pourquoi travaillez-vous comme serveuse ?

— Je donnais juste un coup de main. Sam Price,

le propriétaire du Café des Amis, est un vieil ami de la famille, et sa serveuse habituelle était absente.

Avant qu'il ne puisse répondre, Nate apparut derrière elle, un grand sourire aux lèvres.

— Dis-lui la vérité, sœurette, lança-t-il en se tournant vers Reece. Emily sait que nous aurons plus vite fini la construction des bâtiments si elle ne se trouve pas au ranch.

Puis, devant le regard noir de sa sœur, il enchaîna très vite :

— Nous n'attendions personne de l'équipe avant quelques jours, mais Jason nous a signalé que vous arriveriez plus tôt pour repérer le terrain. Mais qui est donc cette jolie demoiselle ?

— Ma nièce, Sophie, répondit Reece.

Nate s'accroupit pour se mettre à la hauteur de l'enfant.

— Bonjour, Sophie. Je suis Nate, le frère d'Emily.

Timidement, la fillette posa les yeux sur Nate sans lâcher la jambe de son oncle.

A la vue de cette petite fille si triste, le cœur d'Emily se serra. Nul besoin d'être sorcier pour deviner qu'elle se remettait à peine d'une tragédie. Elle s'efforça de sourire.

— Te souviens-tu de moi, Sophie ?

La fillette hocha la tête et Emily poursuivit :

— Que dirais-tu de m'accompagner jusqu'à la maison voir s'il n'y aurait pas des biscuits et de la limonade ?

Comme Emily se tournait vers Reece pour obtenir son autorisation, il grommela :

— Ne vous sentez pas obligée de vous occuper d'elle.

— Personne n'a besoin de moi au ranch avant le tournage et en attendant, m'occuper d'elle me fait très plaisir. Puisqu'il vous faut nourrir et panser vos chevaux, votre nièce et moi avons tout le loisir de nous amuser ensemble.

Avec un sourire chaleureux, elle se tourna vers Sophie.

— Alors ? As-tu envie de venir avec moi ?

La petite fille observa son oncle qui acquiesça.

— C'est d'accord. Je viendrai la chercher dès que j'en aurai terminé avec Shadow et Toby.

Serrant son ours contre son cœur, Sophie mit sa main dans celle d'Emily, et toutes deux se dirigèrent vers la cuisine.

Reece les regarda s'éloigner, pensif. Il aurait dû se réjouir de voir sa nièce se laisser apprivoiser par quelqu'un. Mais cette situation pourrait poser un problème ; Sophie et lui ne resteraient que temporairement à Haven, et la fillette risquait de s'attacher et de souffrir lorsqu'ils partiraient. Enfant, il avait souvent été obligé de quitter des gens avec qui il avait tissé des liens d'affection, et il en avait beaucoup souffert. Il ne voulait pas que Sophie connaisse les mêmes tourments.

— Cela ira, assura Nate.

Sortant de sa rêverie, Reece fronça les sourcils.

— Pardon ?

— Ne vous inquiétez pas, ma sœur sait y faire avec les enfants. Par contre, avec les hommes, elle peut se montrer très dure, ajouta-t-il avec un soupir. Pour tout vous dire, mon frère Shane et moi en sommes en partie responsables. Autrefois, nous ne lui laissions pas une minute de repos, mais elle a appris à se défendre.

Mais Reece n'avait pas envie d'en entendre davantage sur les qualités et les défauts d'Emily Hunter. Il devait se concentrer sur les raisons de sa présence au ranch. Il avait besoin de gagner de l'argent pour acheter des terres. Et rien d'autre ne l'en détournerait.

Soudain, Shadow poussa un long hennissement, le ramenant au présent.

— Cela vous ennuierait-il si je permettais à mes

chevaux de s'ébattre dans votre champ ? Le voyage a été long et ils aimeraient se dégourdir les jambes.

— Bien sûr. Je vais vous aider.

Tout en se dirigeant vers la barrière où ils étaient attachés, Nate reprit :

— J'ai entendu dire que vous veniez de Californie. Possédez-vous un ranch par là-bas ?

Un ranch ? Son rêve…

— Non, juste un petit appartement à Los Angeles. J'ai passé un accord avec un rancher du coin. Il me prend Toby et Shadow en pension et, en échange, je dresse ses étalons entre deux emplois de cascadeur.

Il saisit la jument par les rênes et la conduisit dans le corral pendant que Nate se chargeait du cheval. En passant, Reece admira les écuries fraîchement repeintes.

— Vous avez une magnifique propriété.

— Merci. Elle appartient à ma famille depuis des générations mais nous l'avions perdue à la mort de mon père. Je l'ai rachetée il y a un peu moins d'un an. Le domaine était laissé à l'abandon. C'était une honte. Mon frère, qui est entrepreneur, a restauré la plupart des bâtiments.

Avec une claque sur le flanc, Reece libéra Shadow qui s'élança dans la prairie.

— C'est sans doute lui qui a construit le décor du film ?

Nate hocha la tête.

— Oui. Nous avons dû reproduire à l'identique la cabane d'origine, le producteur l'exigeait.

Reece sourit. Il avait déjà travaillé pour Jason et savait à quel point ce dernier accordait de l'importance au réalisme. Brusquement il avait hâte de voir les lieux du tournage et de commencer à travailler. Mais ses pensées revinrent bien vite vers Sophie.

— Etes-vous au courant des modalités pratiques prévues pour l'équipe ? demanda-t-il.

— Les acteurs bénéficieront de caravanes, les techniciens seront installés dans le nouveau baraquement, et les cinq femmes de l'équipe se partageront la maison du contremaître qui est inoccupée pour le moment.

— C'est très généreux de votre part d'ouvrir votre propriété.

Avec un petit haussement d'épaule, Nate regarda Toby et Shadow galoper au soleil.

— Je n'ai pas encore commencé l'exploitation du domaine. Je ne me sers donc pas encore de la majorité des bâtiments. Pour le moment, je n'ai que quelques hongres, une jument et une dizaine de vaches. Au printemps prochain, j'aurai abandonné mes fonctions de shérif et je serai devenu, je l'espère, rancher à temps complet. Mais en vérité, je ne sais pas encore très bien si je vais me spécialiser dans le dressage équestre ou dans l'élevage du bétail.

— Si j'avais de l'argent et un endroit comme celui-là, je ferais les deux, mais personnellement, ma passion est le cheval.

Nate sourit.

— Mon arrière-grand-père était éleveur. Nous avions des étalons de grande beauté et réputés dans toute la région pour être de la graine de champions, murmura-t-il sans parvenir à dissimuler sa fierté.

— Vous avez de la chance d'avoir pu retrouver l'histoire de vos ancêtres.

— C'est vrai. Voilà pourquoi il n'est que justice que le film retraçant les aventures du clan Hunter se déroule là où tout a commencé. A une époque, nous avions tout perdu mais nous étions ensemble. La famille compte plus que tout à mes yeux.

Avec tristesse, Reece hocha la tête. La famille… Savait-il vraiment ce que cela signifiait ?

— J'ai besoin de parler avec Jason, dit-il brusquement, chassant quelques souvenirs déplaisants de son esprit. Est-il dans les parages ?

Nate secoua la tête.

— Il s'est envolé pour Los Angeles ce matin. Mais il revient mardi.

— Vous aurait-il précisé ce qu'il a prévu pour mon hébergement ?

— Non, il ne m'a rien dit.

— Je le craignais. Je ne peux pas travailler sur ce film si je ne trouve pas un endroit pour loger convenablement Sophie, ni quelqu'un pour la surveiller pendant que je travaille. Jason m'avait promis de s'en charger.

— Ne vous inquiétez pas. Je suis certain que Jason s'en est occupé. Mais en attendant d'en savoir plus, pourquoi ne pas vous installer dans le baraquement ? Tant que les techniciens ne sont pas arrivés, il est vide.

Cela ne résoudrait pas ses problèmes à long terme mais Reece fut soulagé d'avoir trouvé un lieu où coucher Sophie ce soir.

— Vous êtes sûr que cela ne vous ennuie pas ?

— Pas du tout, assura Nate en souriant. A présent, allons nous rafraîchir à l'intérieur.

Reece hésita et finit par le suivre. Mais ses espoirs semblaient s'envoler. Ils passeraient la nuit ici mais sans doute, ne pourrait-il pas accepter ce travail. Il contempla les massifs escarpés autour d'eux. L'endroit était pourtant magnifique.

*
* *

Dans la cuisine du ranch, Emily s'était installée sur le parquet de chêne avec Sophie. L'enfant jouait en silence avec une des vieilles poupées de la jeune femme qu'elles avaient retrouvée dans le grenier. A plusieurs reprises Emily avait tenté d'engager la conversation mais visiblement, la fillette préférait être seule.

— Dommage que tu attendes un garçon, dit-elle à sa belle-sœur, Tori, enceinte de sept mois. Que va-t-on faire de toutes ces poupées ?

La future mère caressa son ventre rebondi, un sourire éclatant aux lèvres.

— Nous aurons sûrement une petite fille un jour.

Avec un peu d'envie, Emily rendit son sourire à sa belle-sœur. Nate et Tori étaient si heureux ensemble ! Pourtant, les choses n'avaient pas toujours été faciles entre eux. Si Nate était tombé amoureux au premier regard de cette jeune héritière de San Francisco, cette dernière, qui avait été élevée par un père dominateur, sortait alors avec un homme qui n'était intéressé que par son argent. Nate n'avait pas renoncé pour autant. Et Tori, qui avait pourtant grandi en ville, s'était adaptée à la vie au ranch comme si elle était née au milieu des chevaux.

— Tu penses donc déjà à un autre enfant ? s'étonna Emily.

Tori regarda Sophie.

— Quand on voit cette petite fille, on ne peut que rêver d'en avoir une ! Elle est si mignonne !

Emily se tourna vers Sophie.

— Tu sais que tu as bien habillé Sunny, ma puce, lui dit-elle.

La fillette voulut aussitôt lui rendre la poupée.

— Non. Tu peux la garder, chérie.

A ces mots, un éclair de plaisir traversa les prunelles de l'enfant, et Emily se jura de tout faire pour revoir ce petit visage s'illuminer de nouveau.

A ce moment-là, la porte s'ouvrit et Nate apparut, accompagné de Reece. Tori s'approcha de son mari pour l'embrasser. Et Emily se rendit compte avec étonnement... qu'elle avait envie d'en faire de même avec Reece. Comme elle contemplait sa bouche en se demandant quelle était sa saveur, il posa son regard sur elle et elle sentit qu'elle rougissait violemment.

Ce fut Sophie qui la tira d'embarras en courant vers son oncle, lui montrant la poupée.

— Tu vois comme elle est belle, oncle Reece ? C'est Sunny.

— Oui, elle est très jolie.

Avec tendresse, Nate serra sa femme contre lui.

— Tori, je te présente Reece McKellen, le cascadeur de l'équipe. Reece, voici ma femme, Tori. Elle attend notre fils, Jake.

Reece souleva son Stetson.

— Heureux de faire votre connaissance, madame. Et félicitations pour le bébé.

— Merci. Mais je vous en prie, appelez-moi Tori.

— J'espère que Sophie ne vous a pas trop dérangée, ajouta-t-il avec un regard sur la fillette.

— Pas du tout. C'est un amour.

Avec un sourire, Nate remplit un verre de thé glacé et le tendit à Reece.

— Et Tori s'y connaît en enfants. Elle est maîtresse d'école.

Reece commençait à apprécier les Hunter qui l'avaient accueilli avec gentillesse ainsi que Sophie. Mais cela ne changeait rien au fait qu'il se sentirait toujours et partout un étranger. Il n'avait pas eu souvent l'impression d'être à sa place quelque part, surtout dans une maison comme celle-ci. Tout en se désaltérant, il promena les yeux autour de lui et admira les meubles d'érable et les parquets de chêne.

Quelqu'un frappa à la porte et une femme plus âgée entra, considérant l'assemblée d'un œil perçant.

— Bonjour tout le monde ! Je passais dans le coin et j'ai eu envie de vous rendre une petite visite.

— Maman, tu n'as pas besoin d'un prétexte pour venir nous voir ! protesta Nate en l'embrassant.

— Je parie que tu es là pour enquêter sur mon emploi du temps, lança Emily. Sam t'a appelée, non ?

D'un air innocent, la nouvelle venue secoua la tête.

— Peut-être m'a-t-il juste signalé, dans la conversation, que tu n'avais pas *tout à fait* fini ton service…

Elle aperçut soudain Sophie et lui sourit.

— Mais qui est cette jolie petite fille ?

— Excuse-moi, maman, dit Emily. Voici Sophie et Reece McKellen. Reece va travailler pour le film. Reece, je vous présente ma mère, Betty Hunter.

Betty Hunter avait l'air frêle, et ses cheveux étaient gris, mais elle salua Reece d'une poignée de main énergique.

— Vous faites partie des stars du cinéma, monsieur McKellen ? s'enquit-elle avec curiosité, ses yeux bleus plantés dans les siens.

Tout le monde éclata de rire.

— Désolée de vous décevoir, madame, mais je ne suis que cascadeur, répondit Reece.

— C'est donc vous qui allez effectuer les voltiges de Camden Peters ?

— Oui, madame, à cheval.

— Et si vous vous faites mal ?

A ces mots, Reece ne put s'empêcher de sourire.

— Ce n'est pas prévu au programme. Je prenais davantage de risques quand je faisais du rodéo. Croyez-moi, les étalons sauvages savent vous éjecter de toutes les manières possibles. Avec eux, j'ai appris à tomber sans me blesser.

— Je l'espère !

Betty Hunter se pencha vers Sophie.

— Est-ce votre fille ?

— Non, ma nièce.

— Comme elle a de belles boucles ! s'exclama Betty en souriant. Elle me rappelle Emily, elle avait les mêmes cheveux qu'elle. Et elle était…

A ces mots, Emily poussa un gémissement.

— Maman, je suis sûre que M. McKellen n'a aucune envie de connaître mon enfance, la coupa-t-elle.

Reece ne put s'empêcher de sourire en voyant Emily rougir. Bon sang, comme cette femme était attirante !

— Je crois qu'il est temps de nous retirer, dit-il. Merci de votre hospitalité, Nate. Et merci à vous d'avoir veillé sur Sophie, Emily. Auriez-vous par hasard le numéro de téléphone de Jason ?

— Bien sûr.

S'emparant de son sac, la jeune femme chercha une carte de visite et la lui tendit.

— Y a-t-il un problème ? s'enquit-elle.

— Juste un petit malentendu pour les questions d'hébergement. Rien de grave. Merci encore pour Sophie.

— De rien, cela m'a fait plaisir. A demain, Sophie !

Avant que Reece n'atteigne la porte, Nate l'arrêta.

— Je vous apporterai des couvertures supplémentaires plus tard. Mais pourquoi Sophie et vous ne resteriez-vous pas dîner avec nous ce soir ?

— Merci mais nous sommes fatigués. Nous avons fait un long voyage aujourd'hui.

Comme Sophie lui tendait la poupée, Emily s'agenouilla à côté d'elle et lui caressa la joue.

— Tu peux l'emporter avec toi. Je te l'ai donnée. Dors bien, ma puce.

Reece vit briller les yeux de sa nièce. Il savait qu'elle se sentait seule, que sa mère lui manquait.

La fillette serait sûrement tentée de se tourner vers des gens comme Emily et sa famille pour puiser un peu de chaleur, mais il ne devait pas oublier qu'il ne resterait pas très longtemps au ranch. Il jeta un dernier regard à Emily Hunter, devinant que s'il prolongeait son séjour de quelques mois, il serait assailli par les tentations.

Vers 7 heures, ce soir-là, Emily se dirigea vers le baraquement, se répétant qu'elle apportait seulement des couvertures et ne cherchait pas du tout l'occasion de revoir Reece McKellen. D'accord, il était beau. Mais il ne semblait pas l'apprécier. Pourquoi, d'ailleurs ? Etait-ce simplement parce qu'elle ne l'attirait pas ? Cela, elle pouvait l'accepter. Elle secoua la tête. Pourquoi pensait-elle à lui ? Elle n'avait pas besoin de s'impliquer dans une histoire amoureuse en ce moment. Pas avec sa carrière qui prenait un tournant si important. Elle devait se focaliser sur *Les Hunter de Haven* et rien d'autre.

Elle avait travaillé dur, cumulé des études avec un emploi de serveuse. Il n'était pas question de renoncer à son rêve de toujours en laissant un homme lui tourner la tête. Mais il ne s'agissait pas seulement de Reece mais de Sophie. La fillette la faisait fondre. Et cela rendait la situation plus dangereuse encore.

Dès qu'elle leur aurait donné ces serviettes, elle s'éloignerait. Promis.

En deux bonds, elle gravit les marches du perron, frappa et entra. Sophie était assise à table et jouait avec sa poupée.

— Bonsoir, Sophie.

— Bonsoir.

— Je vous ai apporté des affaires de toilette et des draps.

Elle entendit alors l'eau couler dans la pièce voisine et sentit son corps s'embraser.

Elle se força à examiner les nouveaux quartiers du ranch que Shane avait construits au printemps dernier. La cuisine était équipée d'un réfrigérateur géant et d'une grande table autour de laquelle vingt hommes pouvaient s'asseoir. Un couloir donnait sur deux dortoirs séparés par une immense salle de bains compartimentée en plusieurs douches, des lavabos et des toilettes. Elle s'interdit de penser à l'homme nu dans une des cabines, ni à l'eau caressant son corps musclé…

Repoussant une nouvelle fois ces images, elle se tourna vers la fillette.

— Tu as déjà dîné ? lui demanda-t-elle.

Sophie hocha la tête.

Lorsque Emily aperçut la bouteille de lait et le

morceau de pain, elle se demanda pourquoi Reece n'avait pas accepté de partager leur repas dans la maison principale. Mais ce n'était pas ses affaires.

— Et si je faisais ton lit, ma puce ? Où dors-tu ?

L'enfant l'invita à la suivre dans le dortoir le plus proche ou cinq lits superposés étaient disposés le long des murs. Des sacs de couchage ouverts étaient déroulés sur les deux premiers.

— Je pense que je vais pouvoir t'installer plus confortablement, dit-elle à la fillette.

Retirant le sac de Nylon, elle étendit un drap.

— Tu veux m'aider ?

Sophie accepta avec joie et, suivant ses consignes, tira sur les coins du tissu. Bien sûr, le résultat n'était pas parfait mais la fillette fut visiblement très fière de son exploit. Dès qu'elles eurent fini, Emily s'attaqua au second lit.

Soudain, elle vit Reece apparaître dans l'embrasure de la porte.

Aucun de ses fantasmes n'aurait pu la rapprocher de la réalité. Grand et musclé, vêtu d'un jean propre et de rien d'autre, Reece McKellen était magnifique. Ses larges épaules et son torse étaient fermes et bronzés, et ses muscles semblaient si doux, et il était si proche….

— Oncle Reece, dit Sophie, arrachant la jeune femme à son trouble, j'ai fait mon lit.

— C'est ce que je vois, répondit-il sans quitter Emily des yeux.

— Emily m'a aidée, ajouta la fillette.

— C'est très bien. Vous êtes partout, on dirait.

A ces mots, Emily sentit le rouge envahir ses joues.

— Tori voulait s'assurer que vous aviez assez de draps. J'ai également apporté des serviettes mais je vois que vous en aviez.

— Oui, mais merci quand même.

Il chercha une chemise propre dans son sac.

— Nous partirons demain matin. Nous retournons à Los Angeles.

— Mais le film ? Avez-vous eu des nouvelles de Jason ? De mon côté, j'ai essayé de le joindre mais on m'a dit qu'il était en réunion toute la journée.

— J'ai eu la même réponse. En fait, j'ai réfléchi. Si je n'avais pas Sophie, cela n'aurait pas d'importance. Mais je dois veiller à ce qu'elle soit installée dans un environnement stable. L'assistante sociale n'était déjà pas ravie à l'idée que je l'emmène sur les lieux de tournage…

Emily se rendit brusquement compte qu'elle n'avait pas envie qu'ils s'en aillent.

— Mais que va faire Jason pour les cascades ?

— Il n'aura aucune difficulté à me trouver un remplaçant. Les voltiges prévues sont très simples. Un bon cavalier serait d'ailleurs capable de les effectuer. Et même Camden Peters.

— Son contrat stipule explicitement qu'il ne doit faire aucune cascade.

Un petit sourire se dessina sur les lèvres de Reece.

— Il a sans doute peur de prendre le moindre risque, laissa-t-il tomber, moqueur. Il a de la chance d'incarner ce personnage, ajouta-t-il aussitôt devant l'air étonné d'Emily.

— Merci, répondit-elle, touchée par le compliment.

Son regard se posa sur son torse et elle s'aperçut qu'il était zébré de balafres.

— Ces cicatrices proviennent-elles de vos exploits de cascadeur ?

— Non, de l'époque où je faisais des rodéos. Heureusement, je n'aurai pas à retirer ma chemise pour le film.

A la vue de la petite lueur qui brilla dans ses yeux, la jeune femme déglutit avec peine.

— Mes aïeuls ont certainement été blessés, eux

aussi, en s'installant sur cette terre. Vous seriez parfait avec vos cicatrices.

Une grimace amusée apparut sur le visage de Reece.

— Merci. Mais je suis payé uniquement pour doubler les acteurs sur certaines scènes. Personne ne voit jamais mon visage.

Et c'était bien dommage, songea-t-elle. Reece avait la beauté rude d'un homme vivant dehors, d'un vrai cow-boy ; un regard profond qui vous transperçait, une mâchoire puissante et un menton volontaire. Mais sa bouche surtout la laissait rêveuse. Comme une douce chaleur s'emparait d'elle, elle s'empressa de chasser ces étranges pensées de son esprit.

— Bon, je crois que je vais rentrer, dit-elle rapidement, se rendant compte qu'elle devenait trop proche de lui.

— Merci pour les draps et les serviettes.

— De rien.

Comme elle se dirigeait vers la sortie, il la suivit. Elle posa la main sur la poignée. Il fit de même et un frisson la parcourut. Heureusement, Sophie la tira d'embarras en accourant vers elle.

Elle s'accroupit pour l'embrasser.

— Dors bien, ma puce. Fais de beaux rêves.

En passant la porte, elle commit l'erreur de tourner la tête pour les regarder une dernière fois.

Non. Ils ne pouvaient pas partir dès le lendemain.

— Je sais où vous pourriez vous installer pendant la durée du tournage, lança-t-elle, sachant pertinemment qu'elle faisait une erreur. Ma mère possède un petit appartement dans le sous-sol de sa maison.

L'expression de Reece McKellen resta impassible, à l'exception de ses sourcils qui se soulevèrent à moitié.

— Cela vous intéresserait-il ? s'enquit-elle.

Les yeux noirs de Reece la transpercèrent.

— Oui, beaucoup, laissa-t-il tomber d'une voix étrange.

3.

Grâce à l'aide de nos voisins, l'étable est enfin terminée. Et si le beau temps se maintient, j'ai promis à Becky de m'attaquer à la construction de la cabane. Même si elle mériterait d'habiter une vraie maison de pierre, elle m'a dit qu'elle avait seulement envie d'un toit pour y vivre avec moi.
Journal de Jacob

Le matin suivant, Emily se leva à 6 heures. Après une douche rapide, elle descendit dans la cuisine où son frère et un bon café l'attendaient. Depuis la mort de leur père, elle avait toujours eu tendance à se tourner vers Nate lorsqu'elle avait un problème. Et il ne l'avait jamais laissée tomber. Non seulement il l'avait aidée à financer ses études, mais il l'avait soutenue moralement quand elle en avait eu besoin. Certes, il s'était parfois montré un peu dur avec elle à propos de ses petits amis, mais pour les décisions importantes, comme son désir d'embrasser une carrière cinématographique, il avait toujours été à ses côtés. Elle savait pouvoir compter sur lui.

— Bonjour, Em, grommela-t-il, les yeux encore embués de sommeil. Je me demande vraiment pourquoi je tiens tant à devenir un rancher, poursuivit-il en bâillant. C'est plus difficile que d'être shérif.

Elle se mit à rire doucement. Bien sûr, il plaisantait ; il avait passé les douze dernières années à travailler et à économiser pour racheter le ranch double H.

— Parce que tu aimes l'odeur de l'écurie au petit matin, mon frère.

Affectueusement, il lui tira la queue-de-cheval.

— Tu as toujours eu le sens de l'humour.

Il s'adossa au mur et, après un nouveau bâillement ajouta :

— Le grand jour approche. Es-tu certaine d'être prête ?

Pas vraiment, pensa-t-elle soudain. Mais elle avait envie d'aller au bout de son projet.

— Evidemment ! C'est l'aboutissement de mon rêve de toujours.

— Parfois la réalité n'est pas à la hauteur de nos espérances, tu sais...

A ces mots, elle se mit à paniquer.

— Que cherches-tu à me dire ?

Il secoua la tête et lui sourit.

— Rien de particulier. Mais pendant les mois à venir, nous ne saurons pas où donner de la tête.

Emily n'ignorait pas qu'elle travaillerait sous la direction d'un réalisateur exigeant, Trent Justice, et que ce dernier lui ferait très certainement réécrire plusieurs scènes.

— Pour moi, ce n'est pas un souci, le rassura-t-elle. Mais je m'inquiète surtout pour toi. Avec Shane, tu as déjà construit le décor et aménagé le baraquement pour héberger l'équipe du tournage. Es-tu sûr que ce film ne va pas trop te peser ? Ou à Tori ? Vous avez ouvert votre propriété et le bébé arrive dans six semaines…

— Tori est ravie, au contraire. Tu sais à quel point elle aime être entourée. Mais si cela devient de la folie, elle restera dans la maison. Enfin, si elle me laisse donner mon avis, ce qui n'est pas sûr, ajouta-t-il en riant.

— J'espère en tout cas que le tohu-bohu du tournage ne t'empêchera pas de travailler à tes propres projets.

Nate, qui était également un excellent sculpteur sur bois, préparait une exposition depuis plusieurs mois, et ce projet lui tenait à cœur. Lorsqu'il avait voulu racheter le ranch familial, il ne possédait pas la totalité de la somme exigée par le vendeur. Aussi avait-il demandé l'aide de ses amis de Haven. A présent, il comptait sur le fruit de la vente de ses œuvres pour les rembourser et dans ce but, il passait beaucoup de temps à créer de nouvelles sculptures.

Il sourit.

— Aucun problème. Enfin si tu n'es pas pressée d'avoir le petit cheval en cerisier que je t'ai promis.

— Tu n'auras qu'à me l'offrir en cadeau de mariage.

A ces mots, les yeux de Nate s'agrandirent de surprise.

— As-tu une bonne nouvelle à m'annoncer, petite sœur ?

Elle se mit à rire.

— Mais non ! Je suis seulement en train de t'expliquer que tu as tout ton temps pour me fabriquer cette statuette.

D'un air pénétrant, il l'observa un long moment sans rien dire.

— Méfie-toi quand même. Qui te dit qu'un homme ne va pas franchir la porte et que tu ne vas pas être foudroyée au premier regard ?

— Comme toi en me voyant ? s'enquit Tori qui entrait, encore en chemise de nuit et robe de chambre.

En souriant, Nate se leva et s'approcha de sa femme.

— Tout à fait. Déjà debout ? Je pensais que tu allais faire la grasse matinée, chérie.

— Moi aussi, soupira-t-elle, mais le bébé a décidé de faire de la gymnastique et j'ai dû y renoncer. Je m'allongerai plus tard.

Elle se tourna vers sa belle-sœur.

— As-tu bien dormi dans ton ancienne chambre ?

Jusqu'à la mort de leur père, Emily avait grandi dans ce ranch. Mais quand ils n'avaient plus été capables de rembourser les emprunts, la banque avait vendu la propriété aux enchères. Cela avait été une épreuve terrible pour la jeune femme.

— Comme un loir ! Mais je ne veux pas m'imposer plus longtemps.

— J'ai été élevée dans une grande maison déserte, voilà pourquoi j'adore être entourée. Tu ne nous déranges jamais.

Tori entoura de son bras la taille de son mari.

— Nous voulons que toute la famille soit ici chez elle.

La gorge serrée, Emily regarda son frère.

— Je suis heureuse que tu aies épousé Tori.

— Moi aussi, répondit-il en souriant, coulant vers sa femme un regard teinté d'amour.

Emily sentit une pointe de tristesse l'envahir. Tori et Nate étaient profondément amoureux. Son autre frère, Shane, s'était lui aussi marié récemment et Mariah, sa femme attendait un heureux événement pour le printemps. Et elle… Elle, elle se sentait comme la cinquième roue du carrosse. Mais un jour elle aussi connaîtrait le bonheur avec l'homme de sa vie.

En attendant, elle préférait penser qu'elle n'était pas encore mariée parce qu'elle n'avait pas encore fait la connaissance de l'homme idéal.

Soudain, la vision d'un grand cow-boy qui se montrait si tendre avec sa nièce s'imposa à son esprit. Reece McKellen n'était pas un homme comme les autres.

Un petit coup donné à la porte lui fit tourner la tête.

Vêtu d'un jean délavé et d'un T-shirt noir, Reece se tenait sur le seuil, tout aussi séduisant que la veille.

— Je sais qu'il est tôt mais j'ai vu de la lumière et…

— Bien sûr. Entrez ! proposa Nate.

Docilement, Sophie suivit son oncle. Elle était habillée d'un short en jean et d'un petit corsage sans manches. Ses cheveux étaient coiffés en queue-de-cheval. En reconnaissant Emily, la petite fille lui sourit et la jeune femme lui ouvrit les bras. Sans hésiter, Sophie vint s'y jeter.

— Bonjour, ma puce. As-tu faim ?

La fillette hocha la tête.

Nate tendit à Reece une tasse de café et l'invita à s'asseoir.

— Partagez donc notre petit déjeuner, lui proposa-t-il. Il y a tout ce qu'il faut.

— Merci, mais nous allons plutôt aller en ville.

En voyant Emily qui installait Sophie à la table, il se raidit. Il savait bien que l'invitation de Nate partait d'un bon sentiment, mais il préférait se tenir à distance de la vie de famille des Hunter et se cantonner à des relations strictement professionnelles. Il éprouvait aussi le besoin de ne pas se laisser envoûter par le regard bleu et le sourire d'Emily qui l'avaient déjà hanté toute la nuit.

Néanmoins il s'efforça de regarder la jeune femme en face.

— Emily, je suis passé vous demander si vous aviez pu vous entretenir avec votre mère.

— Ah oui ! Nate, penses-tu que maman accepterait de louer l'appartement de son sous-sol à Reece ?

— Je ne vois pas pourquoi elle s'y opposerait. Il

est vide depuis que Shane et Mariah ont déménagé. Il n'y a qu'une chambre, ajouta-t-il en se tournant vers Reece. Mais le canapé du salon se transforme en lit.

— Cela me paraît parfait, répondit Reece. Quand pourrez-vous en parler à votre mère ?

— Je vais l'appeler tout de suite, décida Nate en décrochant le téléphone mural. A l'heure qu'il est, elle doit être rentrée de son footing matinal. Bonjour, maman. Non, Tori va bien. J'aimerais te poser une question à propos du studio du garage. Serais-tu d'accord pour le louer à Reece McKellen et à sa nièce ?

Il s'interrompit quelques instants pour écouter la réponse.

— D'accord, très bien. A plus tard, maman. Je t'embrasse.

Après avoir raccroché, il se tourna vers Reece.

— Elle hésitait parce qu'il n'a pas été repeint depuis un moment. Mais elle m'a dit qu'il n'y avait aucun problème et que vous pouviez passer le voir quand vous voulez. De plus, Shane et Mariah ont laissé un peu de vaisselle, de linge, et des produits d'entretien.

— Parfait.

Reece détestait l'idée de dépendre ainsi des Hunter.

Mais il n'avait pas le choix ; il était à présent responsable d'un enfant.

— Il me reste encore à trouver quelqu'un pour garder Sophie pendant que je travaillerai mais c'est un bon début, dit-il. Je vous remercie.

— Je pense que ma mère pourra aussi vous aider à ce sujet, intervint Nate. Elle connaît sûrement quelqu'un qui serait prêt à faire du baby-sitting.

— Merci. Pouvez-vous m'indiquer comment me rendre chez votre mère ?

— J'y vais justement. Vous pouvez me suivre si vous voulez, proposa Emily.

Il hocha la tête.

— Entendu. Nous sommes prêts.

— Vous irez après le petit déjeuner, proposa Tori. Maintenant, asseyez-vous. Il y a de la place pour tout le monde, la cuisine est grande.

A contrecœur, Reece s'installa et regarda Emily s'occuper de Sophie avec un naturel et un plaisir évident. Sous ses directives, la fillette aida à dresser le couvert et bientôt, les œufs brouillés et le bacon furent servis. Mais la conversation chaleureuse et les rires le mirent bientôt mal à l'aise, contrairement à sa nièce qui répondait aux questions des deux femmes et semblait heureuse d'être là.

Le malaise diffus qu'il ressentait vis-à-vis des Hunter

le perturbait vraiment. Cette ambiance familiale lui rappelait trop douloureusement qu'il n'avait jamais connu la douceur d'un foyer avec Carrie.

Lorsqu'il eut terminé son petit déjeuner, il alla laver son assiette.

— Resservez-vous de café, lui proposa Nate.

— Merci, j'ai eu tout ce qu'il me fallait.

Il avait maintenant envie de s'en aller et se tourna vers Emily. Tout le monde avait fini mais personne ne semblait pressé de se lever pour commencer sa journée et continuait à bavarder de tout et de rien, ce dont il n'avait jamais été capable.

En souriant, Tori s'approcha de lui.

— Vous savez, Reece, chaque matin, je donne un coup de main à une des maîtresses de la maternelle. Si cela ne vous ennuie pas, je serais ravie d'emmener Sophie à l'école. Elle y rencontrerait des enfants de son âge, et nous serions de retour peu après midi.

Il regarda sa nièce.

— Sophie, as-tu envie d'aller avec Mme Hunter ?

La fillette leva ses grands yeux noirs vers lui et hocha lentement la tête.

Il aurait dû se réjouir que la fillette commence à faire confiance aux gens, mais il ressentait, au contraire, un trouble assez étrange. Il était temps qu'il se retrouve seul.

— Alors, c'est d'accord, laissa-t-il tomber. Merci.

Puis il se tourna vers Emily.

— Je suis prêt à partir quand vous voudrez.

Mais, pour être franc avec lui-même, il n'était prêt à rien. Et surtout pas à vivre près de cette famille aussi heureuse et accueillante. Il ne voulait pas se rappeler en permanence ce qu'il avait manqué dans sa vie.

— L'appartement est petit mais comme vous n'y vivrez que provisoirement avec Sophie, cela devrait aller, expliqua Emily en ouvrant la porte du garage.

Elle resta en arrière tandis que Reece découvrait la salle principale meublée d'un canapé, d'une table, de quelques chaises, et équipée d'une kitchenette. Il inspecta aussi la salle de bains puis la chambre et son grand lit.

— Je le prends, dit-il.

— Vous n'avez même pas demandé à combien s'élevait le loyer !

Il haussa les épaules.

— Je suis certain que le montant sera juste. Et votre mère me rend un grand service.

— Elle avait très envie de participer à l'élaboration

du film. Voilà qui est fait ! Mais c'est mon père qui a été à l'origine de ce projet, ajouta Emily, le regard soudain triste.

— Comment cela ?

— Papa m'a confié un jour le journal de mon arrière-grand-père. Quand j'ai lu les aventures de Jacob et de Rebecca à travers la Pennsylvanie jusqu'ici, j'ai décidé de raconter leur histoire. J'ai commencé la rédaction du texte au lycée et je l'ai poursuivi au cours de mes études. Le manuscrit a été corrigé à New York, puis j'ai écrit le scénario avant de le montrer à Jason. Vous connaissez la suite…

— Quand on voit le résultat, on peut dire que vos efforts ont porté leurs fruits.

Elle sourit avec fierté.

— Oui ! Et j'ai hâte de voir tourner le film.

Quand leurs regards se croisèrent, une douce chaleur envahit soudain la jeune femme. Elle détourna vivement les yeux.

— J'espère que vous aurez assez de place pour vos affaires, reprit-elle. Il n'y a qu'une armoire.

Adossé à l'évier de la cuisine, Reece croisa les bras sur son torse puissant.

— Nous n'avons pas emporté beaucoup de vêtements.

Il devait par contre avoir une tonne de bagages

émotionnels, pensa-t-elle. Elle vérifia que la vaisselle et les ustensiles de cuisine laissés par son frère et sa belle-sœur étaient propres et prêts à l'emploi, et jeta un coup d'œil dans les placards sous l'évier. Lorsqu'elle se releva, elle se rendit compte que la pièce était soudain devenue très étroite.

— Bon, dit-elle d'une voix sourde, il y a tout ce qu'il faut pour nettoyer.

Elle avait soudain du mal à respirer. L'odeur masculine de Reece, un mélange de savon et de crème à raser, l'enivrait, ses yeux chocolat étaient rivés aux siens.

— Il y a des draps et des serviettes dans le couloir, balbutia-t-elle, sentant son rythme cardiaque s'accélérer.

Reece ne bougea pas et continua de la fixer.

— Nous nous débrouillerons, assura-t-il.

— J'aimerais juste m'assurer que vous serez à l'aise.

— S'il n'y avait que moi, je dormirais dans mon camion ou dehors, dans un sac de couchage.

Dans son regard, Emily lut tout l'amour que Reece portait à sa nièce. Elle se tut un long moment avant de demander :

— Cela fait-il longtemps que…

— La maman de Sophie est morte il y a un mois.

C'était ma sœur. Quant au père, je ne le connais pas.

— Seigneur ! Je… je suis désolée. Etiez-vous proche de votre sœur ?

— Je n'ai pas revu Carrie pendant des années. Nous avons été séparés quand nous étions enfants.

Puis il se tut et Emily comprit qu'elle ne devait pas l'interroger davantage.

— Heureusement que Sophie vous a.

— Je n'en sais rien. Je ne suis pas certain d'être la meilleure personne pour élever un enfant.

— Votre sœur ne vous a pas confié sa fille par hasard, lui dit-elle d'une voix douce. Il est évident que vous vous préoccupez de Sophie, et que vous comptez aussi beaucoup pour elle.

Une ombre voila les yeux sombres de Reece, et le cœur d'Emily se serra. Cela faisait longtemps qu'elle n'avait pas été attirée par un homme. Et encore plus longtemps qu'un homme ne l'avait émue à ce point. Mais ce n'était pas le moment de commencer une histoire d'amour. Même brève.

— Bonjour ! lança Betty Hunter en entrant, tenant Sophie par la main. Tu vois, mon cœur, je t'avais dit qu'il serait là.

En apercevant son oncle, la fillette se précipita vers lui.

— Tu t'es bien amusée ? lui demanda-t-il.

— Il y avait plein de livres !

— Au début, elle était très contente de se retrouver au milieu d'enfants de son âge, expliqua Betty. Mais les autres étaient sans doute un peu trop bruyants et un peu trop envahissants à son goût. Et elle ne nous connaît pas encore très bien. Comme vous n'étiez pas dans les parages, elle a commencé à devenir anxieuse. J'ai donc préféré vous la ramener.

— Merci, dit-il.

— De rien. Les enfants ont besoin de leurs parents quand ils se sentent inquiets. Depuis son arrivée, Sophie a rencontré beaucoup de visages inconnus. Il est normal qu'elle ait eu envie de se retrouver un peu avec vous.

— J'ai beaucoup à apprendre dans le domaine de l'enfance, reconnut-il avec un petit sourire. Sophie ne vit avec moi que depuis peu. Je n'étais pas certain de pouvoir accepter ce travail, mais il faut bien que je gagne ma vie. Il ne me reste plus qu'à trouver une baby-sitter.

— J'ai peut-être une solution, lui proposa Betty. L'école fonctionne de 7 h 30 à midi pour les enfants de quatre à douze ans. J'ai aussi discuté avec une de mes anciennes élèves, Tracy Perkins. Garder Sophie l'après-midi jusqu'à la fin de l'été l'intéresserait. Vous pourriez ainsi laisser votre nièce à la maternelle le matin, puis je passerai la chercher à midi pour la conduire chez Tracy.

— Oui, ce serait l'idéal. Mais certains jours, je serai obligé d'être sur le tournage dès l'aube…

— Alors vous me la laisserez et je m'en occuperai jusqu'à l'heure de l'école, conclut Betty.

Vu sous cet angle, Reece était bien obligé d'accepter. Il lui fallait absolument quelqu'un pour surveiller Sophie, et ce que lui proposait Betty Hunter était en tout point parfait. Il aurait été bien bête de refuser.

— Madame Hunter, je ne veux pas abuser.

— Je vous en prie, appelez-moi Betty. Et si cela m'ennuyait, je vous le dirais.

Le regardant en face, elle ajouta :

— Je suis malheureusement bien placée pour mesurer à quel point il est difficile d'élever seul un enfant. Et combien il est important pour vous de la savoir en bonnes mains. J'ai eu besoin d'aide à la mort de mon mari. Il n'y a aucune honte à en demander.

— Em ! lança une voix masculine. Tu es là ?

Reece vit surgir un grand brun aux mêmes yeux clairs qu'Emily. Il observa Reece avec curiosité avant de se tourner vers sa sœur.

— Pourquoi ne me réponds-tu pas ?

— J'espérais que tu partirais, plaisanta la jeune femme. Pas plus tard qu'hier, tu m'as priée de ne pas *traîner dans tes pattes*, tu t'en souviens ?

Avec un petit rire, il l'embrassa avec chaleur.

— Tu sais bien que je plaisantais !

— Alors ? As-tu fini la cabane ?

— Maintenant, tu deviens vexante ! T'ai-je déjà laissée tomber ?

— Oui, le jour où je suis passée en seconde et où…

A ces mots, Shane éclata de rire.

— Tu es bien une femme ! Tu n'oublies jamais rien !

Puis il se tourna vers Reece et lui tendit la main.

— Bonjour, vous êtes sans doute Reece McKellen. Je suis Shane, le frère d'Emily. Ravi de faire votre connaissance. Et toi, qui es-tu, jolie petite fille ? ajouta-t-il en se baissant au niveau de Sophie.

Avec timidité, la fillette lui sourit.

— C'est Sophie Rose, annonça Betty.

— Et aussi charmante qu'une rose, assura Shane.

— N'est-elle pas un peu jeune pour toi ? se moqua Emily.

— Aucune femme n'est trop jeune pour que l'on

s'intéresse à elle, riposta-t-il. De plus, je m'exerce pour notre futur bébé.

— Tu connais déjà le sexe de votre enfant ? s'enquit Betty.

— Non, Mariah ne veut pas le savoir, mais j'ai l'intuition que ce sera une fille.

— La femme de Shane, Mariah, attend un heureux événement pour le printemps, expliqua Emily à l'intention de Reece.

— Et ce petit appartement a abrité notre amour à ses débuts, ajouta Shane. Cupidon l'habite sûrement encore. Méfiez-vous de ses flèches, Reece !

A ces mots, Emily sentit son visage virer au rouge.

— Shane, tu avais sûrement une bonne raison pour venir, enchaîna-t-elle vivement.

— Oui. Nate m'a chargé de te prévenir qu'un type nommé Camden Peters est arrivé au ranch.

— Camden Peters ! s'écrièrent Emily et Betty en même temps.

— Et il veut rencontrer la personne responsable pour discuter de son hébergement.

— Seigneur ! Je dois retourner là-bas tout de suite ! s'écria Emily, se ruant vers la porte.

— Il est si beau ! soupira Betty. Attends-moi, ma chérie, je t'accompagne !

Elle se précipita à la suite de sa fille mais se retourna brusquement.

— Reece, si cet appartement vous intéresse, vous pouvez vous y installer quand vous voulez. Nous discuterons des modalités plus tard.

Après leur départ, Shane secoua la tête d'un air dégoûté.

— Je ne comprends pas pourquoi Emily et maman font tant de cas de ce Camden Peters. C'est un homme comme un autre, doté, en prime, d'un insupportable air suffisant. Les femmes aiment-elles vraiment ce genre de types ?

— C'est une star du grand écran, lui expliqua Reece en haussant les épaules. Et il peut décider du succès ou de la mort d'un film.

— Oh ! Alors nous ferions mieux de retourner au ranch pour tenter de maîtriser la situation.

Quand Emily arriva au ranch, elle aperçut une voiture de sport garée sur le parking. Elle gravit quatre à quatre les marches du perron, suivie de près par sa mère.

Camden Peters, avec ses cheveux bruns et ses yeux gris, était installé dans un fauteuil à bascule du salon.

La pièce était pleine d'autres gens qu'elle ne connaissait pas et qui discutaient avec animation.

Dissimulant son appréhension, elle entra, un grand sourire aux lèvres.

— Bonjour, monsieur Peters ! Et bienvenue au ranch.

L'acteur se leva et la dévisagea lentement. Il était grand, vêtu d'un jean flambant neuf, d'une chemise de cow-boy et de bottes en cuir.

— Tout s'éclaire avec votre arrivée. Vous êtes… ?

— Emily Hunter. C'est moi qui ai écrit *Les Hunter de Haven*.

— Très heureux de vous rencontrer, dit-il en lui tendant la main. Vous avez beaucoup de talent, mademoiselle. Je suis très honoré d'incarner à l'écran le rôle de Jacob Hunter.

— Et nous sommes très heureux que vous ayez accepté de faire partie du casting. Mais nous ne vous attendions pas avant quelques jours.

— J'aime arriver sur les lieux du tournage tôt pour m'imprégner de l'endroit. Cela m'aide à donner du corps à mon personnage. Je veux être à la hauteur de votre histoire, mademoiselle Hunter.

— Je suis sûre que vous y parviendrez, dit-elle,

ne pouvant détacher son regard de ces yeux gris fixés sur elle.

Il était évident qu'il flirtait avec elle. Que le ciel lui vienne en aide ! C'est alors que Nate et Tori entrèrent, accompagnés de Betty.

— Monsieur Peters, commença Nate, j'aimerais vous présenter ma mère, Betty Hunter.

D'un geste galant, Camden lui baisa la main.

— Enchanté, madame.

— Je suis très heureuse de faire votre connaissance. Toute la ville se réjouit de votre présence.

Nate prit Tori par les épaules.

— Ma femme et moi aimerions vous inviter à partager notre table pour le déjeuner, ainsi que vos collaborateurs.

— J'en suis ravi. Mais si cela ne vous ennuie pas, je voudrais d'abord repérer le lieu du tournage. Puis j'aurais besoin d'un endroit pour m'installer avant l'arrivée de ma caravane. Pourriez-vous m'indiquer un hôtel dans le coin ?

— Monsieur Peters, nous serions très honorés que vous acceptiez d'être notre hôte, lui proposa Tori avec un grand sourire.

A l'expression de Nate, Emily comprit que sa femme ne lui avait pas parlé de son idée. Mais il ne se laissa pas démonter pour autant.

— Bien sûr, renchérit-il. Nous disposons de beaucoup de chambres. Et vos amis peuvent s'installer dans le baraquement.

— Comment refuser une si charmante invitation ? répondit Camden Peters.

Avec autorité, il donna des instructions à ses hommes pour qu'ils montent ses bagages à l'étage.

Puis, un sourire sur ses lèvres, il se tourna vers Emily.

— Etes-vous prête pour une petite balade à cheval ?

— Bien sûr. Suivez-moi, je vais vous conduire.

Visiblement très à l'aise sur une selle, Camden Peters semblait plus que capable de maîtriser sa monture. Emily avait lu sur sa biographie qu'il était originaire du Texas, et à l'évidence, il avait l'habitude des chevaux.

Ils arrivèrent sur les lieux du tournage. L'endroit était magnifique. Chaque fois qu'elle y venait, Emily retrouvait l'émotion que son arrière-grand-père, Jacob Hunter, avait sûrement connue quand il avait décidé de vivre sur ces terres. La maisonnette de rondins, comme l'étable, avaient été reproduites à l'identique.

— C'est donc dans ce petit coin de paradis que

vos aïeuls se sont installés, fit remarquer Camden, interrompant ses pensées nostalgiques.

— Ce n'est pas la cabane originale ; la vraie n'est pas loin.

Avec souplesse, Camden sauta à terre.

— Cette région est sublime, soupira-t-il, contemplant l'horizon.

— Jacob et Rebecca sont tombés amoureux de cette terre.

Comme Emily se laissait glisser de sa selle, Camden se précipita pour lui enlacer la taille.

— Je peux me débrouiller, lui assura-t-elle, gênée et légèrement troublée.

Connaissant la réputation de l'acteur avec les femmes, elle s'écarta rapidement. Le cheval s'ébroua soudain, la poussant dans les bras de Camden qui lui décocha un de ses sourires qui avaient fait sa gloire. Peut-être aurait-elle dû se sentir flattée d'être le centre de son intérêt, mais elle voulait qu'il incarne le rôle principal dans son film, et rien d'autre.

Elle retrouva son équilibre au moment où un cavalier apparaissait.

S'arrêtant près d'eux, Reece posa les mains sur le pommeau de sa selle et les foudroya du regard.

— Que faites-vous ici, McKellen ? lança Camden d'un ton sec.

Avec souplesse, Reece sauta à terre.

— Je suis venu vous dire que Jason était de retour et qu'il aimerait vous voir tous les deux sans tarder.

A cet instant, Emily comprit que la grande aventure était commencée. Son rêve se réalisait enfin !

Son livre *Les Hunter de Haven* allait être bientôt porté à l'écran.

4.

Ce soir, comme je contemplais les millions d'étoiles dans le ciel de la prairie, je ne pensais qu'à ma Becky qui m'attendait dans la cabane. J'ai fermé les yeux et j'ai vu son sourire, j'ai entendu sa voix, j'ai senti sa peau. C'est elle qui me permet de continuer... C'est pour elle que j'ai envie de faire ma vie ici.

Journal de Jacob

Furieux contre lui-même, Reece talonna les flancs de Toby. Il n'avait aucun droit de se montrer aussi possessif vis-à-vis d'Emily Hunter ; elle ne lui appartenait pas. Mais l'avoir vue aussi près de Camden Peters lui avait fait perdre tout sens commun. S'il ne s'était pas repris à temps, il aurait volontiers dit au bel acteur sa façon de penser. Sa seule satisfaction avait été de constater que Peters n'avait pas été très content de le voir rompre son charmant tête-à-tête avec la jeune femme.

Camden Peters avait la réputation d'un homme à femmes. Emily le savait certainement. Mais Reece avait cru deviner que l'acteur la troublait. Et cette idée… le gênait.

Lorsqu'ils arrivèrent devant le corral, il sauta à terre et se tourna vers Camden Peters et Emily.

— Je m'occupe des chevaux, dit-il en s'emparant des rênes.

— Mais je peux le faire ! protesta Emily.

— Laissez McKellen les desseller, l'interrompit Camden. Nous ne pouvons pas faire attendre Jason Michael. Venez, ma chère, ajouta-t-il en prenant le bras de la jeune femme.

— Merci, lança-t-elle à Reece.

Puis, irritée, elle se libéra de l'étreinte de Camden et accéléra le pas. Elle sentait bien qu'il y avait une certaine tension entre les deux hommes, mais elle n'avait aucune envie d'y être mêlée, de près ou de loin. En passant, elle remarqua les caravanes et les camions de matériel garés sur le parking et sourit. Enfin, les choses se mettaient en place.

En entrant dans la salle principale, elle découvrit Jason assis devant son ordinateur portable, ses cheveux blonds toujours aussi ébouriffés. En les voyant, il se leva et leur sourit.

— Emily ! Camden ! Je suis très heureux de vous voir. Désolé, Camden, de n'avoir pas été là à votre arrivée.

— Ce n'est pas un problème. Emily et sa famille m'ont merveilleusement bien accueilli.

— J'ai entendu dire que vous avez été repérer les lieux du tournage. Qu'en pensez-vous ?

— C'est un endroit magnifique, très authentique.

— Les frères d'Emily ont réussi à merveille à reproduire à l'identique la cabane originale, fit remarquer Jason. Et grâce à leur travail, nous serons prêts à tourner plus tôt que prévu.

A ces mots, Camden fronça les sourcils.

— Quand comptez-vous démarrer au juste ?

— Très vite. Comme vous l'avez certainement remarqué, la plupart des membres de l'équipe sont arrivés. Les caravanes seront toutes là ce soir. Vous aurez la vôtre, bien sûr.

Jason se tourna vers Emily.

— As-tu eu l'occasion de montrer le site à Reece ?

— Non. Il est venu nous annoncer ton retour

mais il n'a pas eu la possibilité d'étudier en détail le terrain.

— Nate Hunter ne serait-il pas capable de s'en charger ? intervint Camden.

— Non. Nous ne pouvons pas nous imposer davantage dans la famille d'Emily, décréta Jason. Les Hunter ont déjà eu la gentillesse de nous accueillir dans leur ranch, de bâtir le décor. Je refuse d'abuser davantage de leur hospitalité. Emily, poursuivit-il, accepterais-tu d'emmener Reece sur les lieux du tournage demain matin afin qu'il fasse ses repérages pour ses cascades ?

— Avec plaisir.

— Bien. Il ne faut pas perdre de temps. Trent Justice arrive de Los Angeles demain, et j'aimerais que tout soit pratiquement prêt.

Trent Justice était jeune, mais son premier long métrage avait été unanimement salué par la critique. C'était aussi un ami de Jason, et quand il avait lu le scénario des *Hunter de Haven*, il avait tout de suite été emballé. C'était une chance de travailler avec lui.

— J'ai hâte de le rencontrer, dit Emily.

— Nous n'aurons pas beaucoup de temps pour les mondanités, j'ai avancé la date de début de tournage.

A ces mots la jeune femme sentit une nouvelle poussée d'adrénaline la traverser.

— Camden, poursuivit Jason, j'aimerais que vous relisiez au calme les premières scènes pour pouvoir en discuter avec Trent dès son arrivée.

— D'accord. Si vous n'avez plus besoin de moi, Jason, je rentre à la maison. Vous venez, Emily ?

— Non. J'aimerais discuter de deux ou trois détails pratiques avec Jason. Je vous rejoins.

Quand Camden eut quitté la pièce, elle se tourna vers Jason et l'observa attentivement.

— Dis-moi, tout se déroule vraiment comme prévu ?

— Pourquoi ? En doutes-tu ?

— Peut-être. Tu as quand même disparu pendant deux jours sans en parler à quiconque…

— J'avais des affaires à régler à Los Angeles…

Craignant le pire, la jeune femme blêmit.

— Jason, y a-t-il un problème ? Avons-nous toujours les fonds nécessaires à la réalisation du film ?

Il fronça les sourcils et ne répondit pas tout de suite.

— Oui. Et pour l'instant, nous avons respecté le budget prévisionnel. Mais tout retard nous coûterait cher. Voilà pourquoi j'ai préféré avancer la date de tournage.

— Si tu as besoin d'argent, j'ai…

— Non, tu as investi plus que nécessaire, et ta famille ne nous demande pas un penny pour profiter du ranch. Le cachet de Camden est très élevé mais il mérite son salaire. Son nom au générique va permettre de propulser *Les Hunter de Haven* vers les sommets. Camden est très exigeant mais c'est un excellent acteur. Et il peut assurer à lui seul le succès du film.

— Alors nous tâcherons de le satisfaire. Quand Jennifer Tate arrive-t-elle ?

— Jenny achève une comédie au Canada, mais elle m'a promis d'arriver demain, après-demain au plus tard. J'ai déjà travaillé avec elle, et je sais qu'elle tient toujours ses engagements.

Un grand sourire aux lèvres, Emily frappa dans ses mains.

— Formidable ! J'ai hâte de démarrer !

Jason se mit à rire et l'embrassa.

— Tu as le droit d'être excitée. Tu as écrit un merveilleux scénario, Emily.

De nouveau, la jeune femme pensa à son père, et une petite pointe de tristesse vint assombrir sa joie.

« Oh, papa, comme j'aimerais que tu sois là pour partager ce bonheur avec moi ! »

*
* *

Reece s'occupait des chevaux. Dans la matinée, il avait perdu du temps à emménager dans l'appartement, puis à inscrire Sophie à l'école maternelle et à présent, il devait rattraper son retard. L'après-midi était déjà très avancé.

Comme il passait la brosse sur les flancs de Toby, le hongre hennit doucement de plaisir.

— Tu aimes ça, hein ? Je t'ai un peu négligé ces temps-ci, mais j'étais trop occupé avec Sophie. Qui aurait cru qu'un petit bout de chou bouleverserait à ce point ma vie ? Mais cette petite fille mérite tous les sacrifices, tu sais. Il me faut simplement trouver le rythme d'un père de famille, et le moyen de la rendre heureuse.

Betty Hunter avait raison. Il avait besoin d'aide. Lorsqu'on avait passé une grande partie de sa vie à ne s'occuper que de soi, on ne s'improvisait pas père de famille d'une petite fille de quatre ans du jour au lendemain. Même s'il aurait préféré se débrouiller tout seul, il n'avait pas le choix.

Pour le moment, la fillette faisait la sieste dans l'ancienne chambre d'Emily. Il s'était beaucoup inquiété de savoir si Sophie se sentirait bien dans cette maison, au sein d'une grande famille. Mais apparemment, la petite fille semblait s'être adaptée en un temps record. Quant à lui…

Il chassa un sentiment de solitude et finit de brosser le dos de Toby.

— Voilà, mon vieux, cela ira pour aujourd'hui. Je dois m'occuper de ta compagne, à présent. Que veux-tu ? Elle aime aussi qu'on la chouchoute un peu.

Comme il ouvrait le box de Shadow, il s'aperçut que la jument n'était pas seule. Emily Hunter était en train de la panser. Vêtue d'un jean délavé qui moulait ses longues jambes galbées et ses petites fesses rondes, la jeune femme lui offrait une image… par trop affriolante. Il inspira profondément et ne put s'empêcher de poser les yeux sur son corsage. Deux boutons étaient ouverts, découvrant une gorge palpitante. Sentant son corps se tendre douloureusement, il lutta contre le désir qui lui brûlait les reins.

— Que faites-vous ? demanda-t-il, un peu trop sèchement à son goût.

— Je brosse Shadow. Je ne m'y prends pas bien ? répondit-elle avec un sourire.

Bon sang ! Pourquoi lui souriait-elle ? Comment pouvait-il se concentrer quand elle le regardait ainsi ?

— Non, c'est parfait. Mais ce n'est pas votre boulot.

Il entra dans la stalle et le regretta aussitôt ; l'endroit était étroit et, avec la jument, il ne restait pas beaucoup de place…

— J'aime soigner les chevaux, reprit Emily. C'était une de mes activités préférées quand j'étais enfant.

Avec douceur, elle passa l'étrille sur le dos de la jument.

— Et puis, je m'entends particulièrement bien avec Shadow.

Il flatta le flanc de la bête.

— Elle vous confie ses secrets ? lui demanda-t-il.

— C'est bien possible. Heureusement pour moi, parce que vous, vous n'êtes pas un homme facile à comprendre, monsieur McKellen. Pourtant j'ai déjà découvert quelque chose : vous savez y faire avec les animaux et les enfants.

Hypnotisé par ses prunelles bleues, Reece ne répondit pas tout de suite.

— Peut-être m'est-il plus facile de m'entendre avec eux, grommela-t-il.

— Peut-être. Mais je ne pense pas que vous ayez laissé quiconque vous approcher assez pour vous connaître.

Bon sang, de quoi se mêlait-elle ? Il n'aimait pas la façon dont elle lisait en lui, ni l'attirance croissante qu'il éprouvait pour elle, d'ailleurs. Et encore moins cette force étrange qui l'empêchait de s'enfuir en courant.

Mû par un désir incontrôlable, il saisit la jeune femme par la taille et, comme elle ne se débattait pas, il la serra contre lui.

— Nous sommes pourtant très proches l'un de l'autre, là, murmura-t-il d'une voix rauque.

Dans ses bras, Emily eut brusquement l'impression de devenir folle. Ce n'était pas Reece qui l'inquiétait, mais la façon dont son propre cœur battait à tout rompre. Elle tenta de se raisonner, de se persuader qu'aller plus loin serait une mauvaise idée et la conduirait au désastre. Mais la curiosité eut le dessus.

— C'est vrai, reconnut-elle, s'efforçant de calmer le tremblement de sa voix. Et qu'allons-nous faire de ce rapprochement ?

Le souffle court, Reece planta ses yeux dans les siens puis sa bouche se pencha vers la sienne.

— Emily ?

En reconnaissant la voix de Nate, Reece la lâcha et recula.

— Je suis là, Nate, dit-elle, tentant désespérément de recouvrer ses esprits.

Sans un regard pour Reece, elle sortit de la stalle

et sourit à son frère qui remontait l'allée centrale, tenant la petite Sophie par la main. La fillette portait toujours son short en jean et son petit corsage, mais ses pieds étaient à présent chaussés de bottes de cheval. Emily se mit à rire, se rappelant qu'elles lui avaient appartenues autrefois.

— Qui est cette cavalière en herbe ?

— J'ai des bottes de cow-boy ! s'exclama la fillette, toute fière.

— C'est ce que je vois, dit Reece qui venait de sortit de la stalle à son tour.

— Maman a retrouvé cette vieille paire d'Emily, expliqua Nate. Elle s'est dit qu'elles plairaient sûrement à Sophie.

D'un œil ironique, Nate considéra sa sœur.

— Si tu as autant d'énergie, tu peux nettoyer le reste de l'écurie.

— J'y penserai. Quoi de neuf ?

— Nous avons prévu un barbecue pour ce soir. Maman s'occupe des brochettes. Et elle m'a chargé de vous dire que Sophie et vous étiez conviés au festin, ajouta-t-il en se tournant vers Reece. Et qu'elle n'acceptera aucun refus.

Emily vit Reece hésiter mais il hocha finalement la tête.

— Sophie fera un brin de toilette dans le baraquement.

— Désolé, mais il n'est pas question d'enlever l'apprentie cuisinière de ma mère, répliqua Nate. Elles préparent des salades.

— Et des tartes aussi ! renchérit la petite fille. Je peux retourner l'aider ?

— Elle doit vous ennuyer, à traîner dans vos jambes, fit remarquer Reece, visiblement contrarié.

— Vous plaisantez ? C'est un amour. Pourquoi ne viendriez-vous pas nous rejoindre dans une petite demi-heure ? Mais je vous préviens que vous serez mis à contribution. De mon côté, je vais allumer le barbecue. On y va, jeune demoiselle ?

Emily nota que Reece les regardait s'éloigner, l'air soucieux.

— Ne vous inquiétez pas pour votre nièce, elle est en bonnes mains, le rassura-t-elle.

— Ce n'est pas cela qui me tracasse. Je ne peux pas laisser votre famille s'en occuper.

Emily se mit à rire.

— A vous entendre, on croirait que vous l'avez déposée aux portes d'une église. Vous devez travailler, vous ne la négligez pas.

— Je ne voudrais pas non plus qu'elle se sente

abandonnée une nouvelle fois. Sophie n'a pas eu une vie rêvée jusqu'ici.

— Alors une bonne dose d'ambiance familiale ne peut que lui faire du bien ! lança-t-elle d'un ton enjoué.

Retirant son chapeau, Reece ébouriffa ses cheveux, pensif.

— Peut-être n'ai-je pas trop envie qu'elle s'attache à votre famille. Nous ne sommes là que pour quelques mois puis nous partirons. J'ai des projets et rien ne m'en détournera.

Emily comprit que cette remarque s'adressait à elle et son cœur se serra.

— Je ne cherche pas à vous détourner de quoi que ce soit, Reece, soyez-en certain. Mon seul souci est de réaliser ce film dans les meilleures conditions.

Avec ce qui lui restait de dignité, elle sortit de l'écurie, furieuse et vexée. Certes, Reece l'attirait. Mais ce n'était manifestement pas réciproque.

Attablé avec les Hunter dans le patio, Reece les écoutait rire et plaisanter. Nate étais assis à côté de sa femme, Tori, et tous deux se dévoraient des yeux. Comme Shane et son épouse, Mariah, une rousse au sourire éclatant ; mariés depuis peu, ils ne cessaient de s'embrasser.

En face d'eux, Camden Peters avait trouvé une groupie en la personne de Betty Hunter, et se pavanait comme un paon. Mais à côté de la mère d'Emily, Sam Price, le patron du Café des Amis, paraissait visiblement agacé par les familiarités de l'acteur.

Le regard de Reece se posa alors sur Emily qui avait installé Sophie près d'elle et partageait sa conversation entre la fillette et Jason. Elle semblait très proche du producteur. Représentait-il pour elle plus qu'un ami ?

— Sophie est une adorable petite fille, Reece, intervint Mariah, l'arrachant à ses pensées déplaisantes.

— Oui, c'est vrai, répondit-il en regardant l'enfant qui souriait. J'essaie d'être un père à la hauteur.

A ces mots, Shane serra sa femme contre lui.

— J'ai hâte de devenir papa à mon tour.

L'amour qui les unissait était si intense que Reece détourna les yeux, triste et mal à l'aise soudain.

Il eut brusquement envie de partir mais ne pouvait décemment pas filer à l'anglaise avec sa nièce. Il essaya de se faire une raison et observa Emily qui découpait une part de tarte pour Sophie. Elle souriait à la fillette avec tant de tendresse que sa gorge se serra et qu'il ne put s'empêcher de penser avec envie à l'ambiance chaleureuse qui régnait dans cette maison. Mais il repoussa fermement cette flambée de nostalgie. Sophie lui avait déjà volé son cœur. Il ne voulait pas qu'Emily en fasse autant.

Il s'excusa et sortit pour aller admirer le soleil se coucher derrière les montagnes.

— Le spectacle est magnifique, n'est-ce pas ? lança Nate en le rejoignant.

— Oui, comme toute cette région, reconnut Reece.

— Venant d'un Texan, je le prends pour un compliment.

— Je suis né au Texas mais j'ai vécu dans beaucoup d'endroits différents, y compris en Californie, expliqua-t-il en souriant. Mais je n'ai pas les moyens de m'acheter une propriété là-bas. Les prix sont plus raisonnables au Texas.

— Vous avez un endroit particulier en vue ?

— Oui, mais il va me falloir encore beaucoup travailler pour pouvoir me l'offrir.

— Se spécialiser dans le bétail n'est pas toujours une sinécure. On ne sait jamais comment les cours de la viande vont évoluer.

— Je pense plutôt élever des chevaux de selle.

— J'aurais cru que vous auriez préféré les dresser pour les cascades le cinéma.

— De nos jours, la plupart des voltiges se font

en voiture. De plus, pour Sophie, je ne souhaite pas m'installer à Hollywood. Elle a besoin de stabilité.

— Je comprends. Je souhaite la même chose pour mes enfants. Chaque jour, je remercie Dieu de m'avoir permis de racheter ce domaine. Je ne changerais la paix et la quiétude qui y règnent pour rien au monde. Bien sûr, Tori est pour beaucoup dans cet état d'esprit. Un foyer n'en est pas un sans une compagne pour le partager.

Reece songea alors à Emily. Comment avait-elle pu renoncer à la vie au ranch ?

— Je suppose que l'installation d'Emily à Los Angeles vous inquiète ? demanda-t-il.

Nate sourit.

— Je m'inquiéterais toujours pour elle, où qu'elle soit. Elle a toujours été une tête de mule. Mais elle sait ce qu'elle veut. Et son bonheur m'importe plus que tout.

La soirée s'achevait et Sophie s'était endormie dans les bras d'Emily. Comme la jeune femme passait les doigts dans les boucles de l'enfant, une vague de tendresse la submergea. Etonnée, elle mesura à quel point la petite fille avait pris, en si peu de temps, une place importante dans son cœur.

Elle jeta un coup d'œil à Reece, qui se tenait dans

le patio. L'intensité de son regard la frappa et elle tenta d'inspirer profondément pour reprendre contenance. Sans la quitter des yeux il s'avança lentement vers elle d'une démarche souple à laquelle aucune femme ne pouvait résister. S'arrêtant devant elle, il caressa la joue de la fillette. La tendresse du geste fit monter des larmes aux paupières d'Emily, larmes qu'elle chassa très vite.

— Elle dort déjà, chuchota-t-il. Elle a eu une longue journée.

— Peut-être auriez-vous intérêt à la laisser ici cette nuit. Elle pourrait s'installer dans ma chambre.

— Je ne veux pas vous chasser de chez vous !

— Mon lit est assez grand pour deux, ne vous inquiétez pas, dit-elle en se sentant rougir.

Mais qu'est-ce qui lui prenait de lui parler de son lit ?

— Oui, mais elle n'a pas d'affaires propres pour demain, rétorqua Reece.

— Je dois faire un saut chez ma mère, tout à l'heure. J'en profiterai pour lui prendre quelques vêtements.

— Cela vaut sans doute mieux qu'elle reste ici plutôt que de revenir dans l'appartement, reconnut-il.

— Parfait. Si vous voulez bien la porter jusque-là-haut.

Lorsque Reece saisit avec précaution la fillette, il effleura un des seins d'Emily qui ne put retenir un geste de recul.

— Désolé, murmura-t-il, gêné.

— Ce… ce n'est rien, bafouilla la jeune femme, en s'empressant de le devancer jusqu'à sa chambre.

Là, elle le laissa coucher la fillette dans son lit et l'attendit pour redescendre avec lui.

Ils n'échangèrent pas une parole.

Reece décida finalement de dormir dans le baraquement pour cette nuit ; il voulait rester proche de Sophie si celle-ci se réveillait dans la nuit. A bord de son camion, il conduisit Emily jusqu'à chez sa mère. Ils ne parlèrent pas beaucoup pendant le trajet.

A l'appartement, il empaqueta quelques affaires et s'occupait des habits de Sophie quand Emily frappa à la porte.

— Entrez. Je n'arrive pas à remettre la main sur les sous-vêtements de Sophie, grommela-t-il.

— Cela ne m'étonne pas, ils doivent être minuscules.

La jeune femme s'avança pour inspecter à son tour les étagères. Finalement, elle découvrit deux culottes roses.

— Les voilà !

— Merci. Je vais devoir lui racheter… de tout. Mais je ne sais pas quoi lui prendre. J'ignore tout des petites filles.

— Si vous voulez, je peux vous aider. Il y a une boutique pour enfants en ville.

— Je n'aurai pas le temps de faire des courses.

— Voilà bien une réponse d'homme ! lança-t-elle avec ironie. S'il s'agissait d'une pièce pour votre camion, vous vous débrouilleriez.

— Certaines choses sont importantes. Pas les vêtements.

— Peut-être pas pour vous mais pour une fillette, ils le sont. Allons, ne vous butez pas, je vous propose simplement mon aide.

Il lui jeta un coup d'œil en coin. Dans son jean noir, sa chemise de coton et ses bottes de cuir, Emily était magnifique. Il aimait aussi la manière dont elle était coiffée ce soir. Il ne pouvait ôter de son esprit la scène dans l'écurie, quand il l'avait prise dans ses bras. Comme cela avait été bon de l'étreindre !

Il se rapprocha d'elle, s'enivrant de son parfum.

— J'ai l'impression que vous m'offrez aussi autre chose…

Leurs regards se croisèrent, et comme elle ne reculait pas, il l'attira à lui.

— Il semble que nous nous courons après depuis

quelque temps, murmura-t-il. Peut-être est-il temps de découvrir s'il y a plus que des étincelles entre nous. Si vous n'en avez pas envie, je vous conseille de le dire très vite.

Elle ne dit rien.

Il pencha la tête et s'empara de ses lèvres.

5.

Notre premier été en Arizona a été caniculaire, aussi avons-nous accueilli avec soulagement l'arrivée de la pluie. Le jardin de Becky a bien résisté à la sècheresse comme le bétail. J'ai achevé la construction de la cabane et nous sommes donc à l'abri, mais après deux semaines de déluge, je me demande si cette pluie prendra fin un jour.

Journal de Jacob

Depuis que Reece était entré au Café des Amis, Emily rêvait de l'embrasser. Mais elle ne s'attendait pas à être ravagée à ce point par ce baiser. Lorsqu'il l'étreignit avec force et pressa ses lèvres contre les siennes, son cœur se mit à battre la chamade.

Sa bouche fouillait la sienne avec fougue tandis qu'il la serrait contre lui. Elle sentit ses mains calleuses la caresser. Avec un gémissement, elle noua les bras autour de son cou.

Mais il s'écarta brusquement et passa la main dans ses cheveux.

— Bon sang, murmura-t-il, l'air perdu.

Gênée, Emily recula à son tour.

— Ce… ce n'était sans doute pas une bonne idée. Peut-être ferions-nous mieux d'oublier ce qui vient de se passer.

A ces mots, il planta ses yeux noirs dans les siens.

— Comme vous voulez, laissa-t-il tomber.

Puis il se tourna vers le lit et se remit à empaqueter les affaires de Sophie.

Encore chavirée par ce baiser, Emily mit quelques secondes à recouvrer ses esprits.

— Mieux vaut ne pas commencer quelque chose qui, nous le savons pertinemment, ne nous mènera nulle part, dit-elle, d'une voix qui était loin d'être assurée.

D'un geste sec, Reece referma le sac de voyage et ne répondit pas.

— Alors, vous êtes d'accord ? insista-t-elle, vexée par son silence.

Il leva un sourcil surpris et la dévisagea un instant en silence.

— C'est à vous de décider. Mais en réalité, je ne

représente aucun danger pour vous. Contrairement à d'autres…

— Vous parlez de Camden Peters ? Mais il n'est arrivé qu'aujourd'hui !

— Ecoutez Emily, j'ai déjà travaillé avec lui, et il a la réputation de multiplier les conquêtes sur les tournages.

— Vous ne pouvez pas lui en faire porter l'entière responsabilité, répondit-elle, sur la défensive. Ses partenaires étaient certainement consentantes.

— En général, les femmes tombent sous son charme et se laissent facilement embobiner. Je vous conseille d'être prudente.

A quoi jouait-il ? Après le baiser torride qu'ils venaient d'échanger, pensait-il vraiment qu'elle pourrait aller se jeter dans les bras d'un autre comme si de rien n'était ?

— Merci de l'avertissement mais je ne suis pas aussi naïve que vous l'imaginez ! rétorqua-t-elle, piquée au vif. Et croyez-moi, je n'ai pas besoin d'un frère supplémentaire pour me protéger.

— Soyez sûre d'une chose : je n'éprouve pour vous aucun sentiment *fraternel.*

Et, sans un mot de plus, il sortit.

*
* *

Le lendemain matin, Reece se leva aux aurores. En réalité, il n'avait pratiquement pas fermé l'œil de la nuit. Il n'avait cessé de se remémorer son baiser avec Emily Hunter.

Après avoir nourri Toby et Shadow et donné un coup de main pour nettoyer les écuries, il se dirigea presque à contrecœur vers la maison. Mais il lui fallait bien récupérer Sophie et affronter Emily.

Avant qu'il n'ait frappé à la porte, sa nièce lui ouvrit. Un grand sourire éclairait son petit visage et ses yeux brillaient d'excitation.

— Bonjour oncle Reece !

Il la souleva dans ses bras et posa un baiser sur sa joue.

— Tout s'est bien passé cette nuit, ma chérie ? Je ne t'ai pas manqué ?

— Si, un peu mais je n'avais pas peur. J'étais avec Emily. Et ce matin, elle m'a fait des nattes.

Reece tenta en vain de repousser de son esprit l'image d'Emily sous les draps.

— Mais ce soir, tu retrouveras ton lit.

La bouche de la fillette se plissa en une petite grimace.

— Je voudrais rester ici. J'aime cette maison.

Comme il s'apprêtait à refuser, Emily apparut devant lui, et plus rien ne fonctionna dans son cerveau.

La jeune femme était vêtue d'un jean étroit et d'une chemise bleu clair. Elle avait tressé ses cheveux comme Sophie.

A la vue de ses yeux encore embués de sommeil, il se demanda depuis combien de temps il ne s'était pas réveillé dans les bras d'une femme.

— Bonjour, dit-il.

— Bonjour. Voulez-vous un café ?

— Oui, merci.

Posant sa nièce à terre, il suivit Emily dans la cuisine.

— Je suis venu tôt pour ne pas vous obliger à surveiller Sophie.

— Ce n'était pas un problème, nous nous amusions bien toutes les deux.

— Oh oui ! renchérit la fillette. J'ai aidé Emily à préparer le petit déjeuner, après j'irai à l'école et Emily m'a promis de jouer à la poupée avec moi.

— Ne vous sentez pas obligée de vous occuper d'elle, Emily. Vous avez sûrement mille choses importantes à faire avant l'arrivée de l'équipe.

Les yeux rivés aux siens, elle lui sourit et lui tendit un bol de café.

— Tant que Jason n'est pas levé, je peux bavarder avec Sophie.

Elle porta son bol à ses lèvres, ses lèvres si douces, si

chaudes, ces lèvres qui l'avaient rendu fou, la veille au soir... Si fou qu'elles le hantaient encore. Il la désirait comme il n'avait jamais désiré une femme.

Comme il avalait une gorgée de café, il prit soudain conscience qu'ils étaient seuls dans la cuisine, seuls avec Sophie.

— Où sont Nate et Tori ? s'enquit-il.

— Dans leur chambre. Nate s'est rendu compte qu'il réveillait Tori en se levant. Aussi a-t-il décidé de passer la matinée au lit avec elle ce matin.

A la vue du visage cramoisi de la jeune femme, Reece devina que le couple ne se contenterait sans doute pas de dormir.

— Alors vous m'avez préparé le petit déjeuner...

La jeune femme rougit de plus belle.

— Je l'ai aidée, intervint Sophie avec fierté.

Il sourit.

— C'est très bien, chérie. Mais ce n'est pas à vous de me cuisiner quoi que ce soit, ajouta-t-il à l'attention d'Emily.

La jeune femme haussa les épaules et tendit trois assiettes à Sophie.

— Tu veux bien les mettre sur la table, ma puce ?

Toute fière, la fillette les posa avec précaution

tandis qu'Emily sortait des œufs et du bacon du réfrigérateur.

Mais Reece les lui prit des mains.

— Aidez Sophie à mettre le couvert, je me charge de la cuisine.

— Ce n'est pas à vous de nous préparer ce repas.

— Vous m'en croyez incapable ? lui jeta-t-il avec un petit rire. Vous allez me vexer.

— Je n'ai jamais dit cela, murmura-t-elle.

— Alors asseyez-vous et ne discutez plus. Je m'occupe du petit déjeuner.

Le menton relevé, elle lui lança :

— Est-ce un ordre, monsieur McKellen ?

— C'est une prière, mademoiselle Hunter.

— Bien. Alors j'aime mes œufs poivrés et le bacon craquant.

— Moi aussi ! s'écria Sophie.

Reece ne put s'empêcher de sourire. Même s'il ne l'aurait jamais reconnu à haute voix, il était ravi.

A la demande de Jason, Reece et Emily partirent à cheval repérer les lieux du tournage. La chaleur était écrasante. La jeune femme s'était habituée à la douceur du climat océanique de Los Angeles et supportait mal la canicule.

Lorsqu'ils atteignirent la cabane, l'étable et le corral que Shane et Nate avaient construits dernièrement dans la clairière, ils se réfugièrent à l'ombre d'un bouquet d'arbres. Reece sauta à terre et conduisit Toby à la fontaine. Retirant ses gants, il actionna la pompe jusqu'à ce que l'eau en jaillisse.

Fascinée, Emily le regarda boire à longs traits, puis retirer son chapeau pour passer la tête sous le jet. Au passage, elle admira ses épaules carrées, ses jambes musclées, la manière dont son jean les moulait. Elle retint son souffle. Bon sang, que cet homme était séduisant !

Il se tourna soudain vers elle.

— Voulez-vous boire ?

Hochant la tête, elle s'approcha, mit les mains en coupe, espérant que l'eau fraîche la calmerait.

Mais de simples gorgées d'eau, même fraîches, ne lui furent d'aucun secours. Bien au contraire. La présence trop proche de Reece était un vrai supplice.

— Je vais jeter un coup d'œil à l'intérieur de la cabane, dit-elle en reculant vivement.

Malheureusement, elle trébucha sur une pierre. Mais avant qu'elle ne s'étale de tout son long sur le sol, Reece avait déjà bondi pour la retenir.

— Ça va ?

— Oui, merci.

Elle s'écarta de lui et se dirigea vers la cabane, le cœur battant.

Une bonne odeur de bois régnait dans la maisonnette. La jeune femme promena les yeux sur les murs en rondins, la grande cheminée de pierre, l'alcôve fermée par un rideau derrière lequel se cachait un lit pour deux personnes. La cuisinière avait été le premier luxe que ses aïeuls s'étaient offert. Plus tard, ils avaient acheté une table en érable et quatre chaises. Curieusement, Nate et Shane avaient retrouvé ces meubles dans l'étable en restaurant le ranch. Ils les avaient poncés, vernis et remis à leur place initiale.

Tout était comme elle l'avait rêvé, comme son arrière-grand-père l'avait décrit dans son journal, songea-t-elle en souriant.

La porte s'ouvrit et Reece entra à son tour.

— Il fait moins chaud ici, remarqua-t-il.

— Shane a eu l'intelligence de construire cette maisonnette à l'ombre plutôt qu'au soleil. Les acteurs vont l'en bénir.

Jetant un coup d'œil autour de lui, il laissa échapper un sifflement d'admiration.

— C'est très beau !

— Vous trouvez ? C'est mon arrière-grand-père

qui a bâti la cabane d'origine. Rebecca et lui ont tout quitté pour venir s'installer en Arizona.

— D'où venaient-ils ?

— De Pennsylvanie. Daniel Hunter, le père de Jacob, était issu d'un milieu très modeste. C'était un rêveur, toujours traversé par des idées géniales... et souvent peu réalistes. A force, il a fini par dilapider toutes ses économies. De l'autre côté, mon arrière-grand-mère, Rebecca Palmers, est née, elle, avec une cuillère d'argent dans la bouche. Les Palmers et les Hunter venaient donc de deux planètes différentes, mais ils se sont pourtant rencontrés, par hasard. Le jeune Jacob aidait ses parents à la ferme familiale mais il travaillait aussi dans une société de fabrication de glaces en ville pour améliorer son ordinaire. Un jour, son patron l'a envoyé en livrer une chez les Palmers. Rebecca était alors dans le jardin. Par la suite, ils se sont revus quotidiennement. Jacob lui a confié son rêve de posséder ses propres terres, d'élever du bétail et des chevaux. Inutile de dire que le père de Rebecca n'approuvait pas l'attirance de sa fille pour un Hunter.

— Je parie que cela ne les a pas arrêtés.

— Les Hunter sont des gens têtus.

Il sourit.

— J'avais cru le deviner, oui, constata-t-il.

— A mon avis, ils sont surtout animés par une volonté farouche et une grande détermination, répliqua Emily.

— Bien sûr…

Croisant les bras, il s'appuya contre la table.

— Finissez l'histoire. Jacob a-t-il enlevé Rebecca ?

— Non, il avait un cœur noble. Il a rompu pour lui permettre d'épouser quelqu'un de plus riche, de plus cultivé que lui. Elle avait beaucoup de prétendants prêts à mettre leur fortune à ses pieds.

— Il est donc parti pour l'Arizona sans elle ?

— Il a essayé. Mais Rebecca s'est enfuie de chez elle et l'a suivi. Elle se moquait des richesses matérielles, elle avait seulement envie de partager les rêves, les espoirs, l'amour de quelqu'un, et elle lui a expliqué que son existence n'aurait pas de sens si elle ne la vivait pas avec lui.

Reece vit des larmes briller dans les yeux d'Emily tandis qu'elle poursuivait :

— Alors Jacob est tombé à genoux, lui a promis de l'aimer jusqu'à la fin de ses jours et lui a demandé d'être sa femme. Cette nuit-là, ils se sont mariés avant de prendre le train qui les emmènerait en Arizona. Avec l'argent qu'il leur restait, ils ont acheté une roulotte, un couple de chevaux, une vache et de la nourriture. Puis ils ont découvert cette vallée, acheté les terres à l'Oncle Sam et coulé des jours heureux dans ce petit coin de paradis. Voilà. Et pour connaître la suite, il vous faudra voir le film ! conclut-elle en souriant.

— Depuis combien de temps avez-vous envie de porter cette histoire à l'écran ?

— Depuis très longtemps. Depuis que mon père m'a confié le journal de Jacob. Et maintenant, mon rêve devient réalité.

Reece lui sourit et plongea son regard dans le sien.

Mais elle détourna les yeux.

— La chaleur ne va pas tomber, nous ferions mieux de partir, dit-elle vivement en sortant.

Lorsqu'ils revinrent au ranch, l'endroit bourdonnait d'activité. Cinq caravanes longeaient l'étable, et des ouvriers vérifiaient qu'elles étaient en état de marche.

Jason les accueillit à la porte.

— Parfait, vous êtes de retour. Emily, je voulais te présenter Trent Justice.

Grand et mince, le réalisateur des *Hunter de Haven* n'était pas plus vieux que Nate et avait un sourire chaleureux.

— Emily, je suis ravi de faire votre connaissance, lui dit-il en lui tendant la main. J'ai hâte de démarrer notre projet.

Puis il se tourna vers Reece.

— Bonjour, Reece. Heureux de te revoir.

— Salut, Trent.

Ainsi ils se connaissaient ? se dit Emily, étonnée, en les regardant bavarder amicalement. Sur combien de films, Reece avait-il travaillé ?

— Comment est le terrain prévu pour le tournage ? s'enquit Trent.

— Assez escarpé mais rien d'insurmontable, répondit Reece. Si tu n'as plus besoin de moi, je vais aller voir mes chevaux, ajouta-t-il en s'éloignant.

— Vous connaissez Reece depuis longtemps, monsieur Justice ? demanda Emily.

— Reece et moi avons commencé ensemble nos carrières respectives, et je l'ai retrouvé sur beaucoup de films. C'est le meilleur.

Elle n'en doutait pas.

Soudain une très belle femme s'approcha d'eux.

— Jenny ! s'écria Jason en s'approchant d'elle pour l'embrasser. Tu es là !

— Je te l'avais promis ! Voilà des mois que je rêve de faire ce film et de retravailler avec toi.

A son tour, Trent la salua et se chargea des présentations.

— Jennifer Tate, voici Emily Hunter, l'auteur du scénario.

— Ravie de vous rencontrer, Emily. Je ferai de mon mieux pour incarner votre aïeule à l'écran.

— Je suis certain que tu feras un succès de ce film, lui assura Jason.

— Quand je suis en haut de l'affiche, le succès est assuré ! l'interrompit Camden Peters en les rejoignant.

— Camden, je suis heureuse de te revoir !

Mais, malgré ces paroles aimables, tous deux échangèrent des regards chargés d'électricité. Emily se souvint alors d'avoir lu dans la presse qu'ils avaient eu une liaison orageuse quelques années plus tôt.

— Tu as toujours su mentir à la perfection, Jenny.

— J'ai appris à le faire à ton contact, riposta-t-elle.

Fronçant les sourcils, Trent s'interposa.

— Je vous en prie, arrêtez, tous les deux ! Nous avons un film à faire.

Emily sentit brusquement une migraine s'emparer d'elle.

6.

De toute mon existence, je n'ai jamais travaillé aussi dur. Je lutte chaque jour pour assurer notre survie. Parfois, j'ai envie de tout laisser tomber mais je me suis juré de réussir. Haven est notre foyer à présent, et nous allons rester ici.

Journal de Jacob

La semaine suivante, les techniciens, les preneurs de son et d'images arrivèrent et installèrent leur matériel, faisant régner, au ranch, une animation quasi surnaturelle.

Emily n'eut pas souvent l'occasion de les regarder s'activer. Enfermée, seule, dans un petit bureau proche de sa chambre, elle devait réécrire certains passages. Non seulement Trent avait suggéré quelques modifications, mais Camden avait lui aussi des idées pour étoffer son personnage.

Peu à peu, la jeune femme apprenait à connaître les membres de l'équipe en partageant leurs repas, ou en assistant à certaines répétitions entre Jenny et Camden. Jason lui avait promis qu'elle serait aux premières loges lorsqu'ils commenceraient à tourner.

Reece était très occupé lui aussi ; il mettait au point les scènes de voltige avec Toby et Camden. Et comme Jennifer Tate monterait Shadow, il passait aussi beaucoup de temps avec elle.

La ravissante actrice était une excellente cavalière, alors pourquoi Reece avait-il besoin de l'entraîncr ? se demandait Emily que cette proximité agaçait parfois. Elle s'en voulait d'avoir multiplié les épisodes d'aventure dans son scénario. Mais elle s'en voulait bien plus de se préoccuper de ce que Reece McKellen faisait, et avec qui.

A la fin de sa journée, elle décida d'aller voir sa mère. Elle avait besoin de s'éloigner un peu de toute cette agitation, de se changer un peu les idées.

Vingt minutes plus tard, son enthousiasme s'envola en voyant la maison de sa mère plongée dans l'obscurité.

Par contre elle aperçut de la lumière dans le petit appartement aménagé au sous-sol et sourit en songeant à Sophie. A présent, la petite fille étant à l'école tous les matins et chez la baby-sitter les après-midi, elle n'avait plus la possibilité de venir au ranch. Et Emily devait bien reconnaître que la fillette lui manquait.

Reece aussi lui manquait. Pensait-il parfois à elle ? Au baiser qu'ils avaient partagé ? « Arrête ! s'ordonna-t-elle. Ne t'aventure pas sur ce terrain ! » Débuter une histoire d'amour était la dernière chose qu'il lui fallait actuellement.

Comme elle allait repartir, elle aperçut Reece et Sophie qui sortaient de chez eux.

— Emily ! s'écria la fillette en courant vers elle.

La jeune femme se pencha pour l'embrasser. Qui aurait pu croire que ces petits bras la réchaufferaient autant ?

— Je suis contente de te voir, ma Sophie, murmura-t-elle à son oreille. J'ai entendu dire que tout se passait bien à l'école.

A ces mots, les grands yeux de Sophie s'éclairèrent.

— Je fais des coloriages et Tori m'aide à reconnaître des mots et des chiffres.

Puis son expression changea brusquement et elle se rembrunit.

— Mais parfois, je préférerais être avec toi et oncle Reece.

« Moi aussi », pensa Emily en glissant sa main dans les boucles de la fillette.

— Peut-être un de ces jours, pourras-tu venir passer la journée au ranch, ma puce.

Quelque peu mal à l'aise, elle se tourna vers Reece et le salua brièvement. Elle ne voulait surtout pas s'attarder… sur ses cheveux encore mouillés… ses joues rasées de frais…

— Bon, je ne vous retiens pas, poursuivit-elle d'une voix tendue. Je venais rendre visite à ma mère, mais je crois qu'elle est sortie. Je vous laisse profiter de votre soirée.

— Oncle Reece et moi sortons en amoureux, expliqua Sophie avec le plus grand sérieux. Tu veux venir avec nous ?

— Oh, Sophie, c'est très gentil de ta part de me le proposer, mais tu préfères sûrement être en tête à tête avec ton oncle.

— Non, j'ai envie de te voir aussi. S'il te plaît.

La petite fille glissa un regard en biais à son oncle.

— Cela ne t'embête pas ?

— Pas du tout. Mais nous allons simplement à la brasserie, précisa-t-il à l'intention d'Emily.

— Manger des hamburgers, ajouta Sophie. Allez ! Tu viens !

D'un air interrogateur, Emily dévisagea Reece. Il haussa les épaules.

— J'ai dit à Sophie que ce soir, elle décidait du programme. Si elle souhaite votre présence, très bien.

— Il est difficile de décliner une telle invitation proposée avec autant… d'enthousiasme, ironisa la jeune femme. J'accepte.

— Alors allons-y, laissa-t-il tomber d'une voix rauque.

Lorsqu'ils poussèrent les portes du Café des Amis, plusieurs personnes étaient réunies autour du juke-box.

Sophie grimpa sur un tabouret et insista pour qu'Emily s'installe à côté d'elle.

— Et toi, tu te mets là, oncle Reece, décida-t-elle en lui désignant un siège de l'autre côté de la jeune femme.

Margaret, une femme d'une cinquantaine d'années, s'approcha.

— Bonsoir, que me vaut l'honneur de votre visite, jeune fille ? s'enquit-elle en leur apportant des verres d'eau.

— Nous sortons en amoureux, ce soir, expliqua la fillette.

Les joues d'Emily virèrent au rouge.

— Bonsoir, Margaret, dit-elle en se raclant la gorge, gênée. Je vous présente Reece McKellen et sa nièce, Sophie. Reece est le cascadeur du film.

— Ah ! Ce doit être très intéressant, répondit Margaret. Je souhaite que ce film soit un succès.

— Merci. Sam est-il là ce soir ?

— Non, il a pris une soirée de congé. C'est Ben qui est en cuisine.

— Peut-être devrions-nous commander, intervint Reece. Emily ?

— Je prendrai l'assiette du chef et du thé glacé.

— Moi aussi. Quant à ma petite amie...

— Un hamburger et une glace au chocolat ! s'écria Sophie.

— Et un verre de lait, ajouta-t-il.

Battant des mains, Sophie éclata de rire.

— Que je suis contente !

— Tu es la fille la plus facile à contenter que j'ai connue, lui assura Reece en riant.

Il se pencha vers Emily, redevenant sérieux.

— Et vous ? Etes-vous *contente* aussi ?

— Je le suis toujours ici. Le Café des Amis est le meilleur endroit de la ville pour y sortir en amoureux. Tous les lycéens du coin se donnent rendez-vous ici.

Reece sourit et le cœur d'Emily se serra.

— Si je comprends bien, dit-il, cette brasserie est presque une agence matrimoniale.

Mais il flirtait avec elle !

— Comme c'est le seul endroit du coin où l'on peut danser et écouter de vieux rocks, il est normal que tout le monde aime s'y retrouver, lui répliqua-t-elle, essayant vainement de s'arracher à la légère griserie qui l'envahissait peu à peu.

Soudain, la musique cessa.

— Sophie, si ton oncle accepte de te donner une pièce, nous allons choisir une chanson au juke-box.

— S'il te plaît, oncle Reece, je peux avoir une pièce ?

Reece fronça les sourcils.

— Elle ne m'a jamais réclamé d'argent avant de vous connaître, marmonna-t-il en fouillant dans ses poches.

Un grand sourire aux lèvres, Emily se leva.

— Il faut vous y faire, cow-boy, ce n'est que le début.

Prenant la fillette par la main, elle se dirigea vers l'appareil.

Reece ne put s'empêcher d'admirer la beauté des jambes et de la silhouette de la jeune femme. Il poussa un long soupir. S'il continuait ainsi, il n'allait pas tarder à avoir des ennuis.

Ce fut pire encore quand les premiers accords de *My girl* s'élevèrent. Sous l'œil des clients, Emily se mit à danser, Sophie dans les bras.

Mais très vite, la fillette courut vers lui pour le tirer par la manche.

— Viens danser avec nous ! lui ordonna-t-elle.

— D'accord, soupira-t-il en se levant pour la suivre sur la piste.

Comme une nouvelle chanson démarrait, il souleva sa nièce et commença à tourner au son de la musique.

La fillette éclata de rire.

— Emily doit danser aussi, dit-elle en faisant un signe à cette dernière.

Sans trop savoir comment, ils se retrouvèrent étroitement enlacés tous les trois.

— Je suis contente ! répéta Sophie en riant.

Reece n'aurait pas décrit ainsi ce qu'il éprouvait à cet instant précis ; c'était une impression bizarre, un mélange de plaisir et de douleur.

— Elle s'est enfin endormie, murmura Reece en sortant de la chambre.

Emily aussi avait besoin d'une bonne nuit de

sommeil. Pour oublier. Cette soirée avait été une mauvaise idée. Elle s'attachait trop à la fillette. Lorsqu'ils repartiraient, tous les deux, elle allait beaucoup souffrir.

— Merci de m'avoir permis d'assister à votre dîner en amoureux, lui dit-elle en se dirigeant vers la porte.

— Il n'est pas tard. Pourquoi ne prendriez-vous pas un café ?

La sentant hésiter, il planta sur elle ses yeux noirs.

— S'il vous plaît.

Elle accepta, presque malgré elle, et son cœur se mit à battre la chamade tandis qu'il remplissait deux tasses du breuvage brûlant.

— J'ai ajouté du sucre et de la crème. C'est ainsi que vous l'aimez, n'est-ce pas ?

Il s'installa à côté d'elle.

— Votre proposition d'emmener Sophie s'acheter des vêtements tient-elle toujours ? enchaîna-t-il. Je sais que vous êtes très occupée mais il me faut vraiment renouveler sa garde-robe.

— Pas de problème. De quoi a-t-elle besoin ?

— Eh bien, comme vous l'avez vu, elle n'a pas grand-chose. Et depuis qu'elle va à l'école, elle sait très bien ce qu'elle veut.

De nouveau, son regard se riva à celui d'Emily.

— Il y a six semaines, je ne parvenais pas à lui arracher trois mots. Et maintenant, elle est devenue une vraie pipelette.

Un petit sourire aux lèvres, il secoua la tête et son regard se fit plus lointain.

— Elle me rappelle beaucoup Carrie. Ma sœur était têtue comme une mule quand elle avait l'âge de Sophie.

Avec un soupir, il détourna les yeux comme s'il n'était pas encore prêt à parler de son passé.

— Bref, j'apprécierais beaucoup votre aide, conclut-elle.

— Bien sûr. Je ne dois pas retourner sur le tournage avant demain soir. Pourquoi ne pas dresser la liste de ce dont Sophie a besoin ? Je l'emmènerai faire des courses demain matin, et quand nous aurons terminé, je la reconduirai au ranch.

— Le matin je dois répéter une scène avec Jennifer Tate, mais l'après-midi, je pourrai me charger de Sophie.

Ce simple détail assombrit brusquement l'humeur d'Emily. Reece passait la matinée avec la ravissante actrice.

— J'ai vu Jenny monter l'autre jour. C'est une excellente cavalière.

— Oui, mais nous devons mettre au point la chorégraphie, précisa-t-il.

Bien sûr. C'était son travail. Pourquoi était-elle incapable de faire preuve de logique ? Mais comment croire que Reece n'avait pas remarqué l'incroyable beauté de Jennifer Tate et qu'il y était insensible ?

— Vous êtes-vous déjà blessé pendant vos cascades ? enchaîna-t-elle vivement.

— Jamais très méchamment. Lorsque je pratiquais le rodéo, par contre, j'ai souvent manqué me briser le cou. Voilà d'ailleurs pourquoi j'ai préféré me spécialiser dans la voltige.

— Mais alors pourquoi voulez-vous cesser ce travail ? Est-ce à cause de Sophie ?

— Elle m'a poussé à envisager de prendre ma retraite de cascadeur plus tôt que prévu, c'est vrai, mais j'en avais envie depuis longtemps. Je suis fatigué de l'ambiance d'Hollywood.

— Vous faites allusion aux acteurs comme… Camden ?

— Je n'apprécie pas trop la manière dont il se sert de sa renommée pour séduire les femmes. Est-il correct avec vous au moins ?

— Ça va. D'ailleurs pourquoi s'intéresserait-il à moi alors que Jennifer Tate est dans les parages ? lança-t-elle pour tester sa réaction.

Il posa sur elle un regard pénétrant.

— Toutes les jolies filles l'attirent…

Comment était-elle censée répondre ? Et pourquoi le fixait-elle ainsi ? A quoi jouait-il ?

— Ne vous inquiétez pas pour moi, répliqua-t-elle en se levant, je suis capable de reconnaître un séducteur quand j'en vois un. Déposez-moi Sophie demain en partant, d'accord ?

Reece la raccompagna à la porte, visiblement contrarié.

— Ecoutez, Emily, je ne voulais pas…

Elle fit volte-face et attendit qu'il finisse sa phrase.

— Enfin je… Sophie a passé une très bonne soirée… et moi aussi.

Elle sourit.

— Je me suis également bien amusée. Merci de m'avoir invitée. Bonne nuit Reece.

De plus en plus gênée de la tension qui montait entre eux, elle se hâtait vers la sortie lorsqu'elle aperçut sa mère et Sam Price dans le jardin. Stupéfaite, elle vit alors Sam prendre sa mère dans ses bras et l'embrasser d'un baiser qui n'avait rien d'amical, d'un baiser d'amant.

Soudain elle sentit la main de Reece sur son bras.

— Votre mère vous attendait-elle, ce soir ?

Elle secoua la tête et poussa un soupir.

— Non. Je… je ne m'étais jamais rendu compte que… Enfin je savais qu'ils comptaient l'un pour l'autre. Mais je m'imaginais qu'ils étaient trop vieux pour…

— Pour être amoureux, acheva-t-il à sa place.

— Oui. Non… Mais je n'aurais jamais cru que maman…

— Moi je l'ai deviné immédiatement à la façon dont Sam la dévore des yeux. Il est fou d'elle.

Sam et sa mère se montraient très tendres l'un envers l'autre, ils étaient des amis de longue date, mais elle n'avait jamais soupçonné la passion dont elle venait d'être témoin.

— Cela vous ennuie-t-il si je reste ici un petit moment pour ne pas les déranger ? murmura-t-elle, soudain aussi désemparée que si elle venait d'apprendre un terrible secret. Mais si ça se trouve, il va rester toute la nuit, réalisa-t-elle soudain, troublée par cette idée.

— Il ne le fait jamais, lui apprit Reece. C'est une règle. D'ailleurs regardez : votre mère regagne la maison et Sam son camion. Ça y est, je crois qu'il est parti, ajouta-t-il d'une voix rauque.

Emily tressaillit. Reece était trop proche d'elle ;

sa voix agissait sur elle comme une caresse qu'elle ne pouvait esquiver — d'ailleurs, le souhaitait-elle vraiment ? Enivrée par le parfum musqué de son eau de toilette, elle frissonna.

— Alors, je peux monter, chuchota-t-elle, essayant de calmer les battements de son cœur.

— Cela vaut sans doute mieux...

Dans l'ombre, elle vit Reece se rapprocher imperceptiblement d'elle et, que Dieu lui vienne en aide, elle se sentit incapable de l'écarter.

— C'est une mauvaise idée, murmura-t-il. Mais vous êtes trop attirante...

Il prit doucement son visage entre ses mains et l'embrassa. Sa bouche était chaude et sensuelle, et elle ne put s'empêcher de répondre avec fougue à son étreinte.

Ce qui était, en effet, une très mauvaise idée.

Puis lentement, il recula et planta ses yeux dans les siens.

Elle mourait d'envie de se glisser dans ses bras et de se perdre, des heures durant, dans l'océan de désir qui la submergeait.

— Je pense que ni vous ni moi n'avons besoin de ce genre de... de distraction pour l'instant, laissa-t-elle tomber en s'éloignant rapidement.

*
* *

Deux jours plus tard, Emily s'installait enfin à côté de Jason pour regarder Trent diriger les acteurs. C'était la première journée de tournage au ranch, et elle se sentait aussi nerveuse que si elle avait eu le premier rôle.

— Silence ! ordonna l'assistant du réalisateur.

Un murmure traversa l'équipe et chacun se mit au travail. Les caméras étaient fixées sur la vallée.

Le cœur d'Emily se serra brusquement en regardant les champs qui s'étendaient à perte de vue, les chevaux paissant tranquillement près de la roulotte, Jennifer et Camden vêtus de costumes d'époque.

— *Les Hunter de Haven*, scène un, première prise ! annonça l'assistant.

— Action ! lança Trent en se tournant vers Jennifer et Camden qui incarnaient Rebecca et Jacob.

Avec un grand cri, Jacob fit claquer son fouet et l'attelage s'ébranla lentement, secouant le couple assis sur le banc du chariot. Traverser les vastes étendues de prairies était fatigant, mais ils finirent par s'arrêter près d'une source.

Jacob sauta à terre et tendit les bras pour aider son épouse à descendre. Il la fit tournoyer et elle éclata de rire.

— Tout cela est à nous, Becky. Cent cinquante acres de terre. Plus tard, nous en achèterons davantage.

Les larmes aux yeux, Rebecca se jeta au cou de son mari.

— Oh, Jacob ! Comme c'est beau !

Elle promena d'un air ravi les yeux sur le paysage grandiose, les pics mauves, les prairies vertes, la rivière chatoyante.

Son époux l'étreignit avec force.

— Nous allons être heureux ici. Et je prouverai à ton père qu'il avait tort.

— Tu n'as rien à prouver, chéri, ni à lui, ni à personne.

— Peut-être pas. Mais il s'agit d'un nouveau départ. Grâce à toi, je sais que tout est possible. Ton amour me rend invincible.

Les larmes brûlèrent les yeux de Rebecca.

— Oui, Jacob, tu peux tout faire. Tu as suivi ton rêve pour arriver jusqu'ici et tu vas nous offrir une existence merveilleuse.

Il sourit.

— Et j'ai déjà commencé. Ce matin, pendant que tu empaquetais nos affaires à l'hôtel, j'ai acheté un taureau et des vaches. On nous les livrera sous peu.

— Mais Jacob, nous n'avons pas encore de maison !

— Nous l'aurons. J'ai fait la connaissance de deux de nos voisins, à la foire. Nous allons nous entraider. Il faut d'abord construire une étable ce qui signifie que nous devrons vivre dans la roulotte pendant quelques semaines. Je sais que tu n'as pas eu l'habitude de ce genre de vie, ajouta-t-il, le visage sombre. Mais…

— Arrête, Jacob ! Tu es mon mari et je resterai toujours à tes côtés, répondit-elle en souriant. Dormir à la belle étoile sous ce magnifique ciel d'Arizona sera une belle aventure. Et pense à tout ce que nous aurons à raconter à nos enfants…

Tendrement, ses yeux se rivèrent aux siens.

— Oh, Becky, j'aimerais t'offrir le monde.

— J'ai ton amour et maintenant ce petit coin de paradis. Que pourrais-je désirer de plus ?

Elle pressa sa bouche contre celle de son mari. Jacob l'embrassa avec force…

— Coupez ! hurla le réalisateur.

Lentement, les acteurs interrompirent leur baiser et s'écartèrent l'un de l'autre.

— C'était génial ! déclara Trent.

Gênée, Emily essuya discrètement les larmes qui

perlaient à ses yeux. Elle ne s'attendait pas à être émue à ce point.

— Ça va ? s'enquit Reece, en s'approchant d'elle. Je dois reconnaître que Camden fait du bon travail.

— Et Jenny aussi. J'en ai oublié qu'il s'agissait de cinéma. Tout semblait si vrai.

— C'est l'histoire de votre famille, Emily. Vous avez le droit d'en être fière.

— Oui, je ressens une immense fierté, Reece. Mais…

Elle mit la main sur son cœur et se mit à rire doucement.

— J'avoue que cette scène m'a bouleversée.

— Parfois les sentiments vous prennent par surprise. Ils vous submergent et vous ne savez plus quoi en faire.

Le regard d'Emily se posa sur sa bouche et elle ne put s'empêcher de repenser au baiser qu'ils avaient échangé, deux jours plus tôt. A ce souvenir, tout son corps se tendit de désir.

— Vous feriez mieux d'arrêter de me dévisager comme ça, dit-il d'une voix rauque.

— Comme quoi ? demanda-t-elle d'un air innocent, ravie de voir qu'il luttait lui aussi contre une attirance certaine.

Il se pencha vers elle, une petite lueur dans les yeux.

— Essayez de comprendre que j'ai un travail à effectuer et rien d'autre.

Le cœur d'Emily se mit à battre un peu plus fort.

— Je ne peux pas me permettre de me perdre avec vous, murmura-t-il. Nous avons tous les deux pris des directions différentes.

7.

Cette journée fut une des plus heureuses de ma vie. Becky m'a appris qu'elle attendait notre premier enfant pour le printemps prochain. Je suis fou de joie et en même temps, je me fais du souci pour elle. La vie est rude ici, mais Becky m'a juré qu'elle se sentait assez forte pour mener sa grossesse à son terme.
Journal de Jacob

Le vendredi suivant, Emily et Jennifer Tate se retrouvèrent dans la caravane de l'actrice. Au fils des jours, elles étaient devenues très proches.

— S'il te plaît, Emily, ne nous fais pas faux bond, la supplia Jenny. Viens avec nous ! Il nous faut fêter dignement la fin de cette première semaine de tournage. Tu auras tout le temps de te reposer demain.

— Mais j'ai promis à Trent et à Jason de retravailler plusieurs scènes pour lundi.

Jenny leva les yeux au ciel.

— Tu as quand même le droit de te détendre quelques heures ! Tu ne vas pas me faire croire que tu vas travailler toute la nuit.

En vérité, Emily n'avait pas le cœur à faire la fête. Même s'ils avaient respecté le programme et l'emploi du temps, ces huit jours avaient été relativement difficiles pour elle. Elle avait été obligée de réécrire certains dialogues, et retravailler un texte n'était pas aussi facile qu'elle l'avait d'abord cru. A cause de ce travail supplémentaire, elle avait raté les premières cascades de Reece. Bien sûr, elle aurait dû s'en moquer. Mais ce n'était pas le cas, et elle se sentait frustrée de n'avoir vu que les rushes de ses exploits à cheval.

La voix de Jenny la tira de ses pensées.

— Allez ! J'ai tellement envie de danser !

Emily repensa à la semaine qui venait de s'écouler, à sa sortie « en amoureux » avec Reece et Sophie au Café des Amis, à leur petit slow à trois. Au souvenir des mains de Reece sur sa taille, un frisson la parcourut. Elle se rappelait avec une telle précision la manière dont ses yeux perçants la détaillaient que son cœur s'emballa.

— Emily ?

En la voyant sursauter, Jenny fronça les sourcils.

— Tu as trop travaillé ces temps-ci. Nous allons sortir entre filles pour nous détendre un peu. Kim, Heather et Sally viennent avec nous, et comme tu es la seule à connaître les environs, nous avons besoin de toi pour nous guider.

Emily poussa un soupir, vaincue.

— D'accord. De quoi avez-vous envie ? De boire un verre dans une ambiance amicale et chaleureuse ? Ou de vous encanailler un peu ?

Avcc un sourire entendu, Jennifer poussa Emily vers la porte.

— De nous encanailler, bien sûr !

— Alors, direction Le Cheval Sauvage !

Une demi-heure plus tard, les cinq jeunes femmes poussèrent en riant les portes de la boîte de nuit. Emily savait que ses frères la tueraient s'ils se doutaient qu'elle passait la soirée là ; cette simple idée la ramena à son adolescence et la fit sourire.

Plusieurs têtes se tournèrent vers elles en reconnaissant Jennifer. Comment s'en étonner ? Tous les hommes rêvaient de passer une soirée avec l'actrice. Mais ils étaient si nombreux à se presser au zinc qu'Emily fut certaine de réussir, elle aussi, à en attirer un ou peut-être même deux. En tout cas, il n'était pas question pour elle de se gâcher la soirée en pensant à Reece McKellen. Ce soir, elle avait bien l'intention de danser et de flirter avec de beaux inconnus.

Accoudé au bar, Reece porta la bouteille de bière à ses lèvres. Comment avait-il pu se laisser convaincre par les techniciens de les accompagner dans cette boîte trop bruyante à son goût ? Elle lui rappelait l'époque où il pratiquait le rodéo, une époque qu'il oublierait volontiers.

Il songea à sa nièce. La fillette semblait heureuse, même s'il n'était pas encore un père à la hauteur et lui, ma foi, commençait à connaître une forme de bonheur qui lui était tout à fait inconnu jusqu'à présent.

Ce soir, Sophie avait été voir un film au cinéma avec Sam et Betty, puis elle passerait la nuit chez cette dernière. Ne pouvant supporter l'idée de tourner en rond, seul dans son studio, il avait donc accepté de sortir avec les copains.

Soudain, il repéra sur la piste de danse une brune dont la silhouette lui parut familière. Stupéfait, il reconnut Emily, dansant avec un cow-boy, et il se demanda ce qu'elle faisait là. La familiarité avec laquelle l'homme s'adressait à elle le choqua. Mais pourquoi diable s'en souciait-il ?

Il commanda une autre bière.

Emily était fatiguée, et surtout ne supportait plus ce type qui ne cessait de la coller. Elle finit par lui dire qu'elle allait retrouver ses amies. Comme elle les cherchait des yeux, elle fut surprise de découvrir Reece accoudé au comptoir.

— Ce n'est pas vrai ! Comme si j'avais besoin de ça ! murmura-t-elle, de mauvaise humeur soudain.

Quand l'orchestre entama un slow, un autre cowboy s'approcha d'elle. Mais avant qu'il ne puisse l'inviter à danser, Reece avait surgi et l'entraînait sur la piste.

Elle voulut le repousser mais lorsqu'il la prit dans ses bras, elle oublia sa mauvaise humeur et se laissa emporter par la musique. Comme il l'étreignait plus fort, son torse musclé écrasant ses seins, elle sentit son cœur s'arrêter de battre. Aussitôt après, un frisson d'une incroyable sensualité la traversa.

Au bout d'un moment, Reece finit par s'éclaircir la gorge.

— Que faites-vous dans ce genre d'endroit ?

— La même chose que vous. J'essaie de prendre un peu de bon temps. Où est Sophie ?

— Avec votre mère et Sam.

— Alors nous pouvons nous amuser et danser.

— A mon avis, le type avec qui vous étiez espérait plus qu'une simple danse.

— Ne vous inquiétez pas, je sais comment maintenir les importuns à distance.

Il eut un petit rire étouffé.

— Vous n'êtes pas à votre place dans cette boîte, Emily.

— Ecoutez, je suis assez grande pour prendre soin de moi.

Avant qu'il ne puisse lui répondre, un brouhaha attira soudain leur attention. Jenny avait visiblement des problèmes avec un cow-boy éméché. Sans hésiter, Reece se précipita vers elle, Emily sur ses talons. Mais Camden Peters les devança et enlaça l'actrice d'un air protecteur.

De son côté, Reece saisit le fauteur de trouble par les épaules pour l'écarter.

— Lâchez-moi ! protesta ce dernier. Elle dansait avec moi !

— J'ai accepté un slow, pas un pelotage en règle ! rétorqua Jenny.

— Chérie, je cherchais seulement à te faire du charme.

Cette réflexion fit éclater de rire l'assistance et sourire l'intéressée.

— Navrée mais vous allez m'épargner votre petit numéro.

— Accordez-moi seulement un rock supplémentaire !

D'une voix ferme, Camden intervint :

— Cela suffit, mon vieux. Vous avez trop bu.

Mais avant que l'homme ait pu répondre, le videur de la boîte de nuit l'avait saisi et accompagné fermement dehors.

Comme les autres clients fronçaient les sourcils, Camden frappa dans ses mains.

— Que diriez-vous d'une tournée générale ? Barman, de la bière pour tout le monde !

— Les hommes sont partout les mêmes, grommela Jennifer en regardant l'acteur se diriger vers le bar.

— Tu veux rentrer ? lui demanda Emily.

— Non. En tout cas, pas avant d'avoir dansé avec Reece, mon sauveur.

Emily se raidit. Elle ne comprenait pas pourquoi la jalousie mordait son cœur avec une telle force. Reece n'était pas à elle. Il ne lui avait rien promis. Ce n'est pas parce qu'ils avaient partagé quelques baisers…

Elle observa le couple qui dansait et riait. Pourquoi

diable Reece était-il venu précisément dans cette boîte, ce soir ?

Avec effort, elle se reprit.

— Salut, beauté. Vous m'avez l'air un peu seule…

Elle se retourna en sursautant.

— Oh, Camden, je ne vous avais pas vu !

L'acteur fronça les sourcils.

— Ah, je suis vexé. J'espérais avoir trouvé le moyen d'attirer votre attention.

Comme un slow démarrait, il l'enlaça.

— Allons danser. Je ne laisse jamais passer une occasion de serrer une jolie femme dans mes bras.

Camden Peters était très séduisant. Toutes les femmes se pâmaient devant lui, mais Emily ne parvenait pas à se laisser séduire. Son cœur était pris par un homme… qui s'amusait avec une autre.

Quatre jours plus tard, Reece sella Shadow et la sangla étroitement. Quand elle fut prête, il la conduisit à Jennifer.

Pour cette scène, l'actrice était habillée, comme Becky à l'époque, d'un pantalon d'homme, d'une chemise trop grande pour elle, et d'un chapeau lui aussi un peu large.

— Laisse Shadow faire son travail, lui recommanda

Reece en caressant l'encolure de la jument. Elle connaît son métier.

Il aida Jenny à se hisser en selle, et cette dernière partit au trot se mettre à son poste, devant les caméras.

De son côté, Reece, qui avait passé les mêmes vêtements que Camden, monta sur Toby. Il tira sur son Stetson pour dissimuler en partie son visage.

— Moteur ! ordonna le réalisateur.

Reece regarda Jenny galoper sur la route, un grand sourire aux lèvres. Visiblement, elle prenait un réel plaisir à tourner cettc scène. Lorsqu'elle parvint non loin de Camden, elle cria « Jacob ! » et se dirigea vers lui. Selon le script, un serpent surgissait à cet instant, effrayant Shadow qui devait alors se mettre à ruer en tous sens tandis que la jeune femme, mimant l'affolement, faisait semblant de perdre la maîtrise de sa monture.

— Parfait, murmura Reece. A nous, Toby.

Encourageant son cheval d'un coup de talon, il s'élança à la poursuite de la jument. Parvenu à la hauteur de Jennifer, il la saisit par la taille et la souleva pour l'installer en amazone devant lui.

Dès que Trent cria « Coupez ! », Reece tira sur les rênes.

Jenny le regarda en souriant.

— Tu es mon héros, Reece !

Avec un grand rire, il flatta l'encolure de son cheval.

— Attention, Jenny, tu vas me donner la grosse tête !

Camden apparut alors près d'eux et les foudroya du regard.

— Laissez-moi la place, McKellen. A moi d'enchaîner.

Sans se presser, Reece aida Jennifer à descendre puis mit lui aussi pied à terre.

— Vous avez été formidables tous les deux ! s'écria le réalisateur, arrivant en courant. Je suis pratiquement certain que nous n'aurons pas besoin d'une autre prise.

Pour la récompenser de ses efforts, Reece offrit une pomme à Shadow. C'est alors qu'il aperçut Emily. Vêtue d'un jean et d'un corsage, la jeune femme n'avait vraiment pas l'air d'appartenir à l'univers d'Hollywood. Le désir de la revoir l'avait taraudé toute la semaine, et il n'avait cessé de penser à elle. Mais elle avait, semble-t-il, préféré garder ses distances et l'éviter.

Elle raconta quelque chose à Camden qui les fit sourire tous les deux et Reece se tendit.

Puis elle se dirigea lentement vers lui.

— Cette scène était formidable ! lui dit-elle en flattant la jument. Et toi, ma vieille, tu es une vraie star. Ta prestation était… magistrale !

— Jenny a bien assuré, de son côté. C'est une chance qu'elle sache monter.

Mais Emily n'avait aucune envie d'entendre Reece chanter les louanges de Jenny. Bien sûr, la jeune actrice était ravissante, excellente cavalière et, Emily devait le reconnaître, très sympathique.

— Elle incarne merveilleusement bien Becky, c'est vrai, laissa-t-elle tomber néanmoins.

Mais Reece ne l'écoutait plus ; il regardait Camden qui avait pris sa place sur Shadow et serrait Jenny dans ses bras.

Emily sentit une main froide lui serrer le cœur.

Trent Justice réclama le silence.

— Action ! cria-t-il.

— *Tu es complètement folle ! gémit Jacob en serrant étroitement sa femme contre lui. As-tu perdu la tête ?*

— *Je monte à cheval depuis l'âge de cinq ans, Jacob ! Je sais manier une monture.*

— *Mais tu as frôlé le drame, répliqua-t-il. Je ne sais pas ce que je deviendrais sans toi.*

L'émotion voilait sa voix et Rebecca l'embrassa pour le réconforter.

— Jacob, je vais très bien. J'avais seulement hâte de te revoir, ajouta-t-elle, les larmes aux yeux. Voilà plus d'une semaine que tu n'es pas rentré à la maison.

— Becky, je dois rester auprès du bétail.

— Je le sais bien mais tu me manquais terriblement. Et je ne pouvais pas attendre plus longtemps pour t'annoncer une grande nouvelle.

— Qu'avais-tu de si important à me dire ?

— Je vais avoir un bébé, murmura-t-elle. Nous allons avoir un bébé.

— Un bébé ? Ma chérie ! En es-tu sûre ?

— Emma Summers m'a emmenée voir le docteur. D'après lui, j'accoucherai au printemps prochain.

Un sourire radieux sur les lèvres, il lui caressa la joue.

— Oh, Becky, je t'aime tant ! Nous allons devenir une famille !

— Oui. Voilà pourquoi il faudrait finir la cabane au plus vite. Je ne vais pas le mettre au monde dans une étable !

— Tout ce que tu voudras.

Elle noua les bras autour de son cou.

— J'ai déjà tout ce que je veux. Toi.

Incapable d'ajouter un mot, Jacob l'embrassa avec passion.

Le vendredi soir suivant, Emily était exténuée, mais elle se félicitait que la seconde semaine de tournage soit finie. Elle décida de se rendre chez sa mère, prenant soin, cette fois-ci, de la prévenir de son arrivée.

Betty Hunter lui assura qu'elle était ravie de passer la soirée avec elle, et Emily se rendit compte que cela lui faisait plaisir aussi. Faire ce film était plus accaparant qu'elle ne l'avait prévu. Et même si elle refusait de l'admettre, se cantonner à des relations strictement professionnelles avec Reece l'usait et la rendait nerveuse. Depuis huit jours elle tentait désespérément de garder ses distances. Pour l'oublier. Ou, tout au moins, éviter de trop penser à lui. Malheureusement, cela ne marchait pas.

En arrivant chez sa mère, elle se dit que venir ici était, en fait, une très mauvaise idée. En s'approchant de l'appartement du garage, elle s'ordonna à mi-voix :

— Ne regarde pas dans cette direction. Et va tout droit rejoindre ta mère.

Mais comme elle passait devant la porte, elle entendit Sophie pleurer.

Après un instant d'hésitation, elle décida de

descendre voir ce qui se passait. Quand Reece vint lui ouvrir, il paraissait paniqué.

Emily trouva la fillette en larmes, roulée en boule sur le canapé. Bouleversée, elle se précipita vers elle et la prit tendrement dans ses bras.

— Sophie, ma puce, qu'est-ce qui ne va pas ? Tu as mal quelque part ?

Soulagée, elle vit l'enfant secouer la tête.

— N… non.

— Qu'est-ce qui ne va pas, chérie ? répéta-t-elle. Dis-moi.

— Je veux ma maman.

A ces mots, le cœur de la jeune femme se serra. Elle installa la petite sur ses genoux et la berça doucement.

— Oh, ma puce, je comprends. Ta maman n'est plus là et elle te manque. Tu te sens triste. Mais tu sais, elle est avec Dieu, au paradis.

— Mais j'ai pas envie qu'elle soit au… au paradis ! hoqueta la fillette. Je veux qu'elle soit avec moi ! Tous mes amis à l'école ont une maman. Et pas moi.

Les larmes montèrent aux yeux d'Emily. Et la douleur qu'elle avait connue à la mort de son père resurgit, intacte.

Elle se tourna vers Reece. Il était blême et la fixait, immobile, le regard perdu dans le vide.

Caressant les cheveux de l'enfant, elle poursuivit :

— Tu te souviens, l'autre jour, je t'ai dit que j'avais perdu mon papa. Cela m'a fait beaucoup de peine. J'ai beaucoup pleuré. Puis Sam m'a expliqué que mon père ne voudrait pas que je sois triste, que je devais me rappeler des bons souvenirs, des joies que nous avions partagées. Et comme ça je pourrais être de nouveau heureuse.

Elle prit le visage de la fillette entre ses mains et l'obligea à la regarder.

— As-tu envie que nous nous racontions les bons moments passés, toi avec ta maman, et moi avec mon papa ?

Les traits ravagés, Sophie hocha la tête.

— Je commence, dit Emily. Quand j'étais petite, mon père m'avait construit une balançoire dans le pommier. Et il me poussait si haut que j'avais l'impression de toucher le ciel.

Elle sourit à la fillette.

— A toi, mon cœur.

En reniflant, Sophie se redressa.

— Ma maman m'emmenait souvent jouer au parc. Parfois, elle me permettait de faire un tour de manège. Elle me regardait tourner et me lançait des baisers à chaque passage.

— Et quoi d'autre ? l'encouragea Emily.

— Le soir, elle me racontait des histoires en me caressant le dos jusqu'à ce que je m'endorme. Mais je devais pas faire de bruit pour pas mettre Jerry en colère. Il n'aimait pas les enfants.

Reece s'agenouilla entre elles deux.

— Moi, je les aime, dit-il d'une voix enrouée. Et surtout les petites filles aux cheveux bouclés et aux grands yeux bruns. Et je serai toujours là pour toi.

Quand il l'embrassa avec chaleur, le cœur d'Emily fondit.

— Tu aimes Emily aussi, oncle Reece ?

Les yeux de Reece se posèrent sur la jeune femme.

— Oui, répondit-il. J'aime aussi Emily.

L'émotion qui teintait sa voix fit frissonner la jeune femme.

— Emily, tu veux me lire un conte ?

— Bien sûr, ma puce. Mais va d'abord te mettre en pyjama.

Sans protester, la fillette fila dans la salle de bains.

Reece se leva et passa la main dans ses cheveux.

— Merci de votre aide. J'avoue que je ne savais pas du tout quoi faire.

— Cela se reproduira sans doute encore. Perdre mon père a été très dur pour moi et pourtant, j'étais plus âgée qu'elle.

— Parfois, je ne me sens pas à la hauteur du rôle que j'ai accepté de jouer, soupira-t-il.

— Je ne m'y connais pas beaucoup dans ce domaine non plus, mais je pense qu'il est très important que vous passiez du temps avec Sophie.

— Comment le pourrais-je ? Je travaille toute la journée !

— Vous n'avez pas besoin d'être avec elle en permanence. Laissez-la aller à l'école, mais demandez à Tori de la ramener au ranch l'après-midi. Et si vous ne pouvez pas vous en occuper, l'un de nous le fera, ou la baby-sitter. Mais elle doit se sentir entourée.

— Je ne peux pas vous demander un tel service.

— Vous ne me demandez rien, je vous le propose. Et je sais que ma mère sera heureuse de donner aussi un coup de main. Au cas où vous ne l'auriez pas remarqué, elle aime beaucoup Sophie.

— Et Sophie adore votre famille. Mais que va-t-il se passer quand nous allons repartir ?

— Nous resterons en contact, répondit-elle, tâchant de croire à ce qu'elle disait. Comme le font tous les amis.

Il l'observa un long moment et s'approcha d'elle.

— Est-ce ce dont vous avez envie, Emily ? Que nous soyons amis ?

Le monde de la jeune femme parut s'écrouler.

— Emily ! l'appela Sophie. Je suis prête !

— J'arrive, mon cœur !

Avant de rejoindre l'enfant, elle se tourna vers Reece.

— Oui, j'aimerais que nous soyons amis.

Et elle tourna les talons avant de lui avouer qu'elle espérait plus qu'une amitié.

Beaucoup plus.

8.

Beaucoup de fermiers vont s'en aller. Certains pensent retourner chez eux, d'autres partir travailler dans les mines d'argent pour nourrir leur famille. C'est triste de dire au revoir à ses amis en sachant qu'on ne se reverra pas…

Journal de Jacob

Après deux semaines de tournage, Emily était arrivée à la conclusion que, contrairement à ce qu'elle s'était imaginé, réaliser un film n'était pas une sinécure, mais beaucoup de travail et de soucis.

Ce jour-là, la canicule donnait à tout le monde l'envie d'en finir. Plusieurs scènes avaient dû être reprises, et la patience des acteurs et des techniciens avait été mise à rude épreuve.

Enfin, Trent annonça la fin de la journée mais pria les comédiens de venir le retrouver dans le baraquement. Tous les autres pouvaient souffler jusqu'au lendemain matin. Emily ne se le fit pas dire deux fois et rejoignit son véhicule pour retourner au ranch.

Elle se mit aussitôt à la recherche de Reece. Comme d'habitude, il devait être en train d'entraîner ses chevaux.

L'amour et le professionnalisme dont il faisait preuve avec les chevaux forçaient le respect, et il semblait aussi à l'aise en tant que cavalier qu'en tant que dresseur. La jeune femme l'imaginait très bien dans un ranch.

« Cet homme n'est pas pour toi », se répéta-t-elle comme elle ne cessait de le faire depuis des jours. Si seulement elle parvenait à effacer de sa mémoire les souvenirs de leurs baisers et à oublier les sentiments qu'il lui inspirait quand elle était près de lui !

Cela dit, elle ne l'avait pas beaucoup vu ces temps derniers. Il s'efforçait de l'éviter. Lorsqu'il avait fini son travail, il récupérait Sophie et rentrait chez lui sans s'attarder. Le message était clair : il ne souhaitait pas se lier avec elle.

Les yeux d'Emily se remplirent de larmes.

Sa vie semblait lui échapper, devenir incontrôlable ; et elle détestait cette impression. Elle avait projeté de faire une belle carrière à Hollywood. Elle n'avait pas de place pour un homme dans sa vie et encore moins pour un enfant ! L'image de Sophie et de ses grands yeux bruns, de ses petites mains, s'imposa à elle et son cœur se serra.

Reece McKellen avait de beaux yeux, lui aussi. Mais dès qu'il les posait sur elle, elle se sentait perdue. Et lorsqu'il l'embrassait…

Elle se gara derrière le ranch. Mais en fait, elle n'était pas pressée de rentrer. Peut-être avait-elle besoin de quelques heures de solitude. Elle aperçut alors Nate qui sortait de l'écurie.

— Tu reviens tôt, remarqua-t-il.

— Il fait trop chaud. Nous avons abrégé les prises aujourd'hui.

— Et moi, je n'ai pas réussi à sculpter. Tori ne se sentait pas très bien.

Emily sourit.

— Le grand jour approche…

— Dans deux semaines !

— Elle n'est pas avec Sophie, j'espère ?

— Non, maman a emmené la petite après le café. Sam va lui apprendre à danser à ce que j'ai compris. Elle avait l'air ravie.

Sa mère et Sam. Depuis combien de temps étaient-ils ensemble ?

— Nate… as-tu déjà considéré maman et Sam comme… un couple ?

— Oui, bien sûr. Pourquoi ?

— C'est juste que l'autre soir, j'ai… je… Je n'avais pas prévenu maman que je comptais passer à la maison, et je l'ai vue embrasser Sam.

— Formidable ! Il s'est enfin décidé à se déclarer.

— Que veux-tu dire ?

— Il est fou de maman depuis des années. Mais il pensait qu'elle ne pouvait rien éprouver pour un autre homme que papa. Alors il restait dans l'ombre. Je suis content qu'ils se soient finalement ouverts l'un à l'autre. A ce propos, je ferais mieux d'aller retrouver Tori.

Affectueusement, il l'embrassa sur la joue.

Un terrible sentiment de solitude s'empara alors d'Emily. Tout le monde avait quelqu'un dans sa vie. Sauf elle.

— Nate, cela t'ennuie si je t'emprunte Maggie pour une petite balade ?

— D'accord mais pas trop longtemps. Un orage se prépare.

— Merci de te soucier autant de moi. Depuis la mort de papa, tu n'as jamais cessé. Tu es le meilleur frère dont une femme puisse rêver, je n'avais jamais eu l'occasion de te le dire.

Modestement, Nate haussa les épaules et rougit légèrement.

— Ce n'est rien. Et tu es devenue une fille bien, Em. Je suis fier de toi.

Une larme roula sur la joue d'Emily.

— Va vite retrouver Tori.

Puis avec un geste de la main, elle se hâta vers le box de la jument.

— Où allez-vous ? lui lança soudain une voix masculine.

Elle sursauta et reconnut Camden qui venait de surgir derrière elle.

— Je vais juste faire une petite balade à cheval.

— Puis-je vous accompagner ?

Il semblait abattu comme s'il venait de perdre son meilleur ami.

— Bien sûr. Sellez Charlie, je prends Maggie.

Dix minutes plus tard, ils sortaient du corral. La température avait un peu baissé. Emily aperçut Jenny dans le jardin et lui adressa un signe amical, mais l'actrice dévisageait Camden avec une telle intensité qu'elle ne remarqua pas son geste.

L'acteur jeta un regard de côté à Emily.

— J'ai envie de galoper et d'oublier tout le reste, marmonna-t-il.

Emily soupira et lui sourit.

— Je connais cela.

— Alors piquons un petit galop.

Depuis un mois, elle avait dû repousser les avances de Camden à de nombreuses reprises, et l'acteur l'agaçait bien des fois. Mais ce jour-là, elle sentait qu'une profonde tristesse l'animait, et il lui devenait presque sympathique.

— Tout va bien, Camden ? Vous n'avez pas l'air en forme.

— Ne vous inquiétez pas pour moi. Pourquoi ne m'emmèneriez-vous pas à l'ancienne cabane ?

— Je ne sais pas…

— Allez, Emily. Cela pourra me servir pour mieux incarner mon personnage.

L'emplacement était plus loin que ce qu'elle avait prévu, et le terrain difficile, mais si cela pouvait être utile au film…

— D'accord, mais Trent me tuera s'il vous arrive quoi que ce soit, alors promettez-moi de me suivre et d'obéir à mes directives.

Il lui adressa un clin d'œil coquin.

— Je suis prêt à tout pour passer un moment avec vous.

***

Une demi-heure plus tard, Emily et Camden arrivèrent devant la cabane bâtie par Jacob Hunter.

Ils sautèrent à terre et attachèrent leurs chevaux à la branche d'un arbre. Puis ils entrèrent à l'intérieur.

— Votre arrière-grand-père devait être bon charpentier car sa maison a plutôt bien résisté aux années et aux intempéries, s'exclama Camden. A part le toit, bien sûr…

— L'étable a mieux tenu le coup encore. Un jour, Nate va la restaurer. Mais il donne la priorité au ranch pour le moment.

— Il est difficile de croire que des gens ont vécu dans cette petite maison de bois autrefois, remarqua-t-il, songeur.

Elle se mit à rire.

— Vous parlez comme un véritable citadin.

Le vent se leva soudain et elle jeta un regard inquiet aux gros nuages noirs qui s'amoncelaient dans le ciel.

— Je crois que nous devrions rentrer.

Comme elle s'apprêtait à sortir, Camden la retint par le bras.

— Pourquoi cet empressement ? Nous n'avons pas eu la possibilité de bavarder en tête à tête depuis le début du tournage. Même lors de la soirée au night-club, je n'ai eu droit qu'à une malheureuse petite danse avec vous.

— Ecoutez, dit-elle en reculant d'un pas. Si un de ces soirs, nous y retournons, je vous promets de vous en accorder plusieurs. Mais dans l'immédiat, un orage se prépare et il vaut mieux retourner au ranch au plus vite.

Avec un petit sourire, il se rapprocha d'elle.

— Peut-être serons-nous surpris par une pluie torrentielle, et obligés de passer la nuit ici...

— Arrêtez ! Que faites-vous de Jenny ?

Il haussa les épaules.

— Que voulez-vous que j'en fasse ?

— J'ai vu la manière dont vous la regardiez et la façon dont elle vous dévorait des yeux.

— C'est fini entre nous. Son petit ami va venir lui rendre visite, ce week-end, laissa-t-il tomber en détournant la tête.

— Je ne savais pas que Jenny avait quelqu'un dans sa vie.

— Ils avaient rompu mais elle m'a confié qu'il venait demain essayer d'arranger les choses avec elle.

— Alors pourquoi ne pas vous battre pour la reconquérir ?

— Elle ne me fait pas confiance.

— Il est vrai que vous avez une sacrée réputation…

— Il ne faut pas croire tout ce qu'on lit dans les journaux.

— D'accord, mais si vous l'aimez, faites-le-lui comprendre.

— Et comment ?

— Allez la trouver et avouez-lui vos sentiments.

Avant que Camden ne puisse répondre, un cavalier surgit sur la route. C'était Reece monté sur Toby.

— On dirait que nous avons de la compagnie, fit remarquer Camden, un sourire narquois aux lèvres. Et il a l'air contrarié de vous trouver avec moi.

— Cela m'étonnerait, riposta Emily, plus furieuse que flattée.

— Peut-être puis-je vous prouver que vous avez tort…

Et il l'enlaça.

— Camden ! s'écria-t-elle en voulant se dégager. Que faites-vous ?

Il déposa un petit baiser sur ses lèvres puis lui adressa un clin d'œil.

— Je n'ai pas pu résister. Maintenant, je vais suivre vos conseils et aller retrouver celle que j'aime.

Avec un petit salut à Reece, il grimpa en selle et partit au galop.

Emily s'efforça de rassembler ses esprits et regarda Reece s'approcher.

— Que faites-vous là ? s'enquit-elle.

— Avez-vous perdu l'esprit pour sortir avec ce type ? lui lança-t-il avec colère.

— Je suis une adulte et j'ai le droit d'être avec qui me chante !

— Dès qu'il m'a vu, votre amoureux a pris la poudre d'escampette. C'est un grand courageux à ce que je vois.

— Ce ne sont pas vos affaires, mais si vous voulez tout savoir, il est allé retrouver Jenny. La seule femme dont il se soucie.

Elle tournant les talons, espérant qu'il s'éloignerait avant qu'elle ne s'effondre.

Doucement, il posa les mains sur ses épaules.

— Je suis venu parce que je me suis dit que vous aviez besoin…

— D'un ami ? lança-t-elle avec violence en se retournant.

Le regard tendre de Reece se riva au sien. Il allait lui dire quelque chose quand le ciel s'assombrit encore. Les feuilles commencèrent à tourbillonner puis la pluie s'abattit soudain avec violence.

— Bon sang !

Reece lui prit la main et l'entraîna sous le coin de toit encore debout.

— Nous ne pouvons pas retourner au ranch sous un tel orage, décréta Emily. Le chemin va se transformer en rivière. J'espère que Camden a réussi à rentrer à temps.

— Moi aussi. Il faut mettre les chevaux à l'abri.

— L'étable a été mieux préservée. Allons-y ! dit-elle en s'élançant sous le déluge.

Elle attrapa les rênes de Maggie et se rua vers le bâtiment en ruines. La grande porte était ouverte et à l'intérieur, une odeur de foin flottait encore.

Elle n'avait pas envie de regarder ou de parler à Reece. Un regard, un geste de lui, et elle allait tomber dans ses bras. Et c'était la dernière des choses à faire. Mais à cause du mauvais temps, elle allait sans doute devoir supporter sa présence de longues heures.

Avec un soupir, elle attacha Maggie et défit ses courroies pour la libérer.

Mais Reece apparut à son côté et souleva sans difficulté la selle. Puis il s'occupa de Toby.

Il prenait le temps de s'occuper des chevaux mais il savait que, tôt ou tard, il lui faudrait affronter Emily. Mais plus il tentait de garder ses distances, plus il la désirait.

Comme il se retournait, il découvrit la jeune femme

à la porte de l'étable, contemplant le déluge. Il s'était comporté comme un imbécile. Mais en apprenant qu'elle était partie en balade avec Camden, il avait voulu les rattraper pour les prévenir de l'imminence de la tempête. Puis il avait vu Peters l'embrasser…

Comme il rejoignait Emily, il sortit son portable et composa le numéro du ranch.

Après trois sonneries, Nate répondit :

— Double H.

— Nate, c'est Reece. Ils se trouvaient bien à l'ancienne cabane. Camden est rentré. Emily et moi, nous nous sommes réfugiés dans l'ancienne étable.

— Ne revenez pas sous ce déluge, c'est trop risqué. Il va pleuvoir toute la nuit. Restez là jusqu'à demain matin.

— Toute la nuit ? répéta Reece en jetant un regard vers Emily.

— Il n'y a pas le choix. J'ai d'autres problèmes ici. Tori est en plein travail.

— Tori accouche ?

A ces mots, Emily lui arracha le téléphone des mains.

— Nate ! elle va bien ?

— Oui. Tout va bien. Ne t'inquiète pas, la rassura son frère.

— D'accord. Dis-lui simplement que je l'aime.

Je ferai la connaissance du petit Jake demain. Je t'embrasse.

Elle rendit l'appareil à Reece.

— Je suis désolé, Emily. Vous allez rater l'arrivée du bébé.

— Ce n'est pas votre faute, je suis la seule à blâmer. Et puis Nate va aider sa femme. Je regrette simplement de…

— Nous retournerons au ranch à la première heure demain. Tori n'aura peut-être même pas encore accouché.

— J'espère bien que si ! Je ne lui souhaite pas de passer deux jours pour mettre son fils au monde !

— Oui, vous avez raison, ce serait épuisant.

— Je ne pense pas qu'un homme puisse mesurer la souffrance de l'enfantement.

Reece se surprit à imaginer Emily portant son enfant. Cette image lui fit si mal qu'il dut détourner les yeux. A quoi pensait-il ? Elle avait envie de faire carrière dans le cinéma, pas de partager la vie d'un homme et d'une petite fille ! Il retourna vers les chevaux, composa le numéro de Betty Hunter et s'entretint avec la baby-sitter, puis avec Sophie à qui il promit d'être là dès le lendemain matin.

Par chance, il gardait toujours des réserves de nourriture lorsqu'il était en tournage. Il fouilla dans son sac et y découvrit deux bouteilles d'eau, quelques carottes, deux pommes et quatre barres énergétiques.

Peut-être cela suffirait-il pour faire la paix.

Quand le soleil se coucha, Reece alluma un petit feu devant la porte, pour éclairer l'étable et tenir les animaux sauvages à distance. Puis il étendit une couverture par terre et y installa ses provisions.

Si son estomac n'avait pas autant crié famine, Emily aurait refusé de partager son repas improvisé. Mais elle avait faim, elle avait froid, elle était épuisée. Et elle se demandait surtout comment elle allait réussir à passer la nuit avec Reece. Et la pluie ne cessait de tomber…

Reece offrit deux carottes aux chevaux. Puis il se tourna vers la jeune femme.

— Maintenant il nous faut songer à un arrangement pour la nuit.

— Vous pouvez dormir, je ne suis pas fatiguée, laissa-t-elle tomber vivement.

— Vu que vous êtes assise sur ma couverture, cela va m'être difficile.

— Pardonnez-moi, dit-elle en se levant et en s'éloignant.

— Arrêtez, Emily. Je ne suis pas un ennemi. J'essaie de faire au mieux dans une situation particulière.

— Depuis deux semaines, vous m'adressez à peine la parole, lança-t-elle brusquement. Pourquoi ? Que vous ai-je fait ?

Il vit des larmes briller dans ses yeux et s'en voulut. La jeune femme avait raison, il s'était plutôt montré odieux avec elle ces derniers temps. Mais elle ne pouvait pas comprendre.

— Emily, je n'ai jamais eu l'intention de vous blesser. Je…

Avec colère, elle fit volte-face.

— Vous m'avez embrassée et à présent, vous me fuyez comme la peste. Que s'est-il passé, Reece ? Suis-je devenue trop collante ? Avez-vous peur que je vous mette le grappin dessus ?

Il accusa le coup.

— Je ne peux rien vous promettre, Emily, murmura-t-il. De plus, nos vies vont prendre des directions différentes.

— Alors pourquoi ne pas devenir des amis comme vous l'aviez suggéré ?

— Parce que je trouve très difficile d'être seulement votre ami.

Gêné, il passa la main dans ses cheveux.

— J'aimerais le pouvoir…

— Je n'ai besoin de rien si ce n'est vous, le coupa-t-elle en nouant ses bras autour de son cou.

Vaincu, il oublia tout pour prendre ce qu'elle lui offrait.

9.

Je n'ai jamais eu aussi peur que lorsque j'ai vu ma Becky tomber dans la rivière en crue. Par miracle, j'ai réussi à la tirer de là. Après en avoir rendu grâce à Dieu, je Lui ai demandé de toujours veiller sur ma femme et mon enfant. Il a entendu mes prières.

Journal de Jacob

Reece n'avait jamais goûté des lèvres aussi douces. Avec un grognement rauque, il plaqua plus étroitement la jeune femme contre lui.

Après un moment, il interrompit leur baiser et contempla son visage, son incroyable beauté, ses yeux magnifiques. Il n'avait jamais désiré une femme aussi fort.

— Emily je…

Mais il reprit ses lèvres. Il se comportait comme un imbécile. Sa vie était déjà si compliquée, que nouer une relation véritable avec elle était de la folie. C'était, du moins, ce que sa raison essayait de lui faire comprendre. En vain.

Tremblant, il promena sa bouche dans son cou, troublé par son parfum, par sa douceur. Lorsque Emily poussa un gémissement, il la porta près du feu et l'allongea sur la couverture.

Les flammes éclairaient son visage, le désir qui brillait dans ses yeux. De nouveau, il l'embrassa, prenant le temps d'apprivoiser ses lèvres.

Comme il déboutonnait son corsage, le souffle court, et glissait doucement sa main pour la caresser, il la sentit frissonner de plaisir.

— Tu es beau, murmura-t-elle.

— Oh, chérie, c'est toi qui es magnifique.

Son regard brûlant contempla ses longues jambes fuselées, ses hanches minces, son ventre plat, puis revinrent sur ses seins. Il se pencha pour en pincer légèrement le mamelon de ses lèvres.

Avec un cri de plaisir, elle se cambra.

— Reece..., chuchota-t-elle en le caressant.

— J'ai envie de toi, Emily.

Il la serra plus étroitement contre lui. Il l'embrassa encore et encore. Il n'y avait plus que la nuit et Emily... D'un geste, il arracha sa chemise et reprit la jeune femme dans ses bras.

C'est alors que son téléphone portable sonna. Il voulut l'ignorer mais ce n'était pas possible. Avec un cri de frustration, il répondit.

— Allô ?

— Reece, c'est Nate.

— Bonsoir, Nate, dit-il en regardant Emily se rhabiller à la hâte.

— Ça va ? Vous ne souffrez pas trop du froid ?

Du froid ? Quelle ironie !

— Nous survivons. Comment va Tori ?

— Les choses avancent plus vite que prévu, annonça Nate, un sourire dans la voix. Puis je parler à *tante* Emily ?

Souriant, Reece se tourna vers Emily, qui avait reboutonné son corsage.

— C'est Nate.

Lorsqu'elle s'empara de l'appareil, il se leva et se dirigea vers la porte pour lui permettre de s'entretenir avec son frère en privé. La pluie battante et l'air frais lui firent du bien et bientôt, il recouvra tout son bon sens.

Emily s'approcha de lui, les larmes aux yeux.

— Le bébé est né ! Il s'appelle Jake Jacob Edward Hunter. Comme notre arrière-grand-père. Papa serait si heureux.

Comme si c'était le geste le plus naturel du monde,

elle glissa les mains autour de sa taille et l'enlaça tendrement.

Mais Reece était conscient que le moment d'intimité qu'ils venaient de vivre était rompu. Pire même, il n'aurait jamais dû exister. Même s'il désirait Emily plus que tout, il n'était pas concevable de commencer quelque chose avec elle. Il avait des responsabilités vis-à-vis de Sophie. Et ils allaient bientôt quitter la région.

Soudain, Emily sentit que Reece s'écartait.

— Qu'y a-t-il, Reece ? Je sais que Nate a téléphoné au mauvais moment mais…

— Non, il a appelé à point nommé, au contraire. Nous allions commettre une erreur.

A ces mots, Emily eut l'impression de recevoir une gifle.

— Une *erreur* ? Merci !

— Tu es une fille formidable, Emily, mais j'allais te prendre dans la paille comme une…

— Pendant la construction de la cabane, Rebecca et Jacob ont vécu des mois dans cette étable, et cela ne les a pas empêchés de faire un enfant ! le coupa-t-elle. L'important est d'aimer la personne avec qui l'on est, Reece.

Il y eut un long silence.

— Je croyais que tu éprouvais également des

sentiments pour moi, reprit la jeune femme d'une voix tendue. Je me suis trompée.

— Bon sang, Emily, essaie de comprendre ! s'écria-t-il en se mettant à marcher de long en large. Je ne suis pas l'homme qu'il te faut. Je me suis toujours débrouillé seul dans la vie et je n'ai même pas été capable d'aider ma sœur quand ma mère nous a abandonnés.

Les larmes aux yeux, Emily s'approcha de lui.

— Ne te reproche rien, ce n'était pas ta faute.

— Peut-être pas, en effet. En tout cas, désormais, je ne me soucie plus que d'une seule personne : Sophie. Toi, tu as une carrière à mener. Moi je veux d'une autre existence pour ma nièce.

Emily voulut protester mais elle se rendit compte qu'il ne l'écouterait pas.

— Nous devrions dormir, laissa-t-il tomber.

Après avoir ranimé le feu, il se dirigea vers l'autre extrémité de l'étable. Même si Emily mourait d'envie de le rejoindre, elle savait qu'il la rejetterait si elle s'approchait de lui.

Glacée, elle s'allongea près du feu.

— Il est magnifique, Tori, s'écria Emily, émerveillée, en prenant son neveu dans les bras.

Avec une force étonnante, le bébé serra son doigt.

La jeune mère lui sourit. Elle avait l'air fatiguée mais heureuse.

— C'est vrai. Et l'accouchement a été moins dur que je ne le craignais. Nate m'a été d'un grand soutien. Mais j'ai entendu dire que la nuit avait été agitée pour toi aussi. Cela dit, la passer avec Reece n'a pas dû être une véritable épreuve.

Toute la joie d'Emily s'envola. Elle se rappela s'être mise en boule sur la couverture, près du feu, espérant que Reece viendrait s'allonger près d'elle. Mais il avait tourné plus d'une heure dans l'étable avant de s'allonger sur la paille, loin d'elle.

— Reece m'a expliqué très clairement qu'il ne souhaitait pas de relations trop étroites entre nous, expliqua-t-elle.

— Allons ! j'ai vu la manière dont il te dévorait des yeux. Il est fou de toi.

— Tu te trompes. Et cela vaut mieux ainsi. Il doit s'occuper de Sophie, et moi, de ma carrière à Hollywood.

— Sophie a besoin d'une mère et tu peux écrire n'importe où.

A cet instant, Nate entra dans la chambre et

embrassa tendrement sa femme et son fils avant de se tourner vers Emily.

— Alors ? Que penses-tu de ton neveu ? demanda-t-il avec fierté.

— Il est magnifique !

— Si tu insistes, nous te le laisserons peut-être quelques heures, un jour…

— J'en serais ravie, mais à la fin du film.

Le sourire de Nate disparut et il se frappa le front.

— Bon sang ! J'allais oublier de te prévenir des derniers événements ! Camden Peters a fait une mauvaise chute ce matin et s'est démis l'épaule. Jason l'a conduit aux urgences.

A ces mots, Emily blêmit.

— Je retourne tout de suite au ranch !

Elle attrapa son sac et se précipita hors de la chambre, pensant au temps précieux qu'ils allaient perdre si Camden devait prolonger son séjour à l'hôpital. Ce serait la catastrophe ! Tout retard risquait de grever le budget, menaçant ainsi la survie du film.

Non !

Son rêve ne pouvait pas s'achever ainsi.

— Madame Betty a dit que je pourrai porter le bébé, déclara Sophie, assise sur le siège arrière.

Il pleuvait et Reece se dirigeait vers le ranch. Depuis son retour, sa nièce n'avait cessé de parler. Et comme il avait très peu dormi dans l'ancienne étable avec Emily, il était épuisé.

Un instant, il ferma les yeux, se remémorant la jeune femme quand il l'avait serrée dans ses bras. Il lui avait fallu faire appel à toute sa volonté pour la repousser. Mais même si elle l'attirait plus que tout, aucun avenir n'était possible entre eux. Il n'était pas l'homme dont elle avait besoin. Il avait déjà tant de mal à s'en sortir avec Sophie, comment aurait-il pu envisager de fonder une famille ?

Sophie le ramena au présent.

— Mais il faudra que je m'assois et que je fasse très attention, reprit-elle.

Au fond de lui, Reece n'avait aucune envie de se lier davantage aux Hunter. Bientôt, il devrait quitter la région avec Sophie, et il devinait que l'enfant le vivrait très mal. L'accident de Camden les obligerait d'ailleurs peut-être à abréger leur séjour.

Plus tôt dans la matinée, profitant d'une éclaircie, Trent avait demandé à Reece de revoir une scène à cheval avec Camden. Bien sûr, ce dernier n'en avait fait qu'à sa tête et avait pris des risques inutiles. Comme il fallait s'y attendre, il était tombé et s'était luxé l'épaule. Heureusement, il n'avait pas été sérieusement blessé, mais Reece se sentait partiellement responsable de sa mésaventure.

A cause du mauvais temps et de l'accident, le film était au point mort. Sans doute était-ce la raison pour laquelle Jason avait convoqué tout le monde en réunion.

— Toi aussi, tu demanderas à le porter, oncle Reece ?

— Porter quoi ? s'enquit-il, ne sachant absolument pas de quoi elle parlait.

— Mais Jake !

— Peut-être vais-je attendre qu'il soit un peu plus grand.

— Tu crois que Tori et Jake aimeront mon dessin ?

— J'en suis sûr.

D'un air pensif, la fillette regarda la feuille sur laquelle elle avait dessiné un bébé.

— J'aimerais vivre pour toujours ici, oncle Reece.

Lui aussi, pensa-t-il, la gorge serrée.

— Mais un jour, nous allons retourner en Californie, tu sais, ma chérie.

En jetant un coup d'œil dans le rétroviseur, il vit la fillette se tourner vers la vitre. Dans combien d'endroits avait-elle vécu durant sa courte vie ? Et lui ? A présent, il avait envie de poser ses valises, de se fixer, de fonder un foyer. Il se remit à songer à Emily, et la douleur qu'il éprouvait toujours en pensant à elle resurgit.

Après s'être garé derrière les écuries, il aida Sophie à descendre. Comme il la prenait dans ses bras, il aperçut Emily dans la cour.

— Emily ! cria Sophie en courant vers elle.

Il eut un instant l'envie, lui aussi, de courir vers elle et de lui dire combien elle comptait pour lui, combien il l'aimait. Mais après leur nuit passée dans l'étable, il ne s'en sentait pas le droit.

— Bonjour, dit-il. Comment va Camden ?

— Il se repose dans sa caravane, avec Jenny à son chevet. Il ne pourra pas tourner pendant au moins une semaine, peut-être deux. Tu peux être fier de toi ! ajouta-t-elle rudement.

— Que veux-tu dire ?

— Camden n'était pas censé monter à cheval pour les scènes difficiles, c'est toi le cascadeur !

— C'est lui qui a insisté ! Il voulait épater Jenny ! Excuse-moi, je dois parler à Jason, ajouta-t-il. Viens, Sophie.

— Mais je veux aller voir le bébé ! J'ai un dessin pour Tori ! protesta la petite en brandissant une feuille.

— Je peux l'y emmener, intervint Emily en souriant à la fillette. Après, si tu en as envie, ma puce, nous ferons un gâteau pour souhaiter la bienvenue à Tori et à Jake.

Pleine d'espoir, l'enfant se tourna vers son oncle.

— Je peux, oncle Reece ?

Il regarda Emily un instant.

— Tu es sûre ? Tu n'as pas beaucoup dormi cette nuit.

— Je ne l'aurais pas proposé si cela m'ennuyait, répliqua-t-elle en prenant la main de la fillette.

— D'accord mais sois gentille avec Emily, Sophie.

Tendrement, il se pencha pour embrasser sa nièce, puis il se hâta vers le baraquement où il retrouva Jason et Trent qui avaient tous deux l'air soucieux.

— Merci d'être venu, Reece, lui dit Jason. Comme vous le savez, personne ne vous reproche rien. Camden reconnaît qu'il a fait l'imbécile pour épater Jenny.

— A ce que j'ai entendu dire, il n'a pas été gravement blessé.

— Cela ne change rien au problème, répliqua le réalisateur d'une voix sombre. Il va falloir retarder le tournage. Et cela va nous coûter cher, très cher.

Les sourcils froncés, Trent s'en alla et Reece se tourna vers Jason.

— Dites-moi ce qui se passe vraiment.

Le producteur poussa un gros soupir.

— Un de nos financiers a entendu parler de l'accident de Camden et a décidé de retirer ses billes de l'affaire.

— Trouvez-en un autre.

— Je ne vous ai pas attendu pour essayer. Depuis trois heures, je suis pendu au téléphone. Malheureusement, les billets de banque ne poussent pas dans les arbres. Nous n'avions vraiment pas besoin de cette tuile ! Que vais-je dire à Emily ? Elle a beaucoup investi dans cette histoire.

— Et si je vous donnais de l'argent ?

— Ne me dites pas que vous avez les moyens de financer un film !

— J'ai des économies à placer.

— Depuis des années, vous mettez une partie de vos cachets de côté pour vous offrir un ranch, d'après ce que je sais. Je refuse de vous laisser tout risquer sur ce projet. D'ailleurs, maintenant, vous avez votre nièce à charge. Je ne peux pas accepter.

— Bon sang, Jason, il faut bien trouver une solution ! Vous n'allez quand même pas solliciter l'aide des Hunter !

— Mais il n'en est pas question. Ils ont déjà eu la gentillesse de nous ouvrir le ranch et de construire le décor gratuitement. Je ne veux pas abuser de leur bonté.

Reece se mit à arpenter la pièce d'un pas nerveux.

— Bon, alors allons parler à l'équipe. J'accepte de ne pas être payé avant la fin du tournage. Je suis sûr que les autres en feront autant.

Secouant la tête, Jason poussa un long soupir.

— Vous ne vous rendez pas compte de l'importance des fonds à réunir.

— Camden est riche comme Crésus. Il sera sûrement d'accord pour nous aider. Et d'autres gens seraient tristes de nous voir renoncer, les habitants de Haven, par exemple.

Il se dirigea vers la porte mais avant qu'il ne s'en aille, Jason le rappela.

— Emily sait-elle ce que vous éprouvez pour elle ?

Sans répondre, Reece quitta le baraquement.

Emily regarda avec envie sa belle-sœur qui s'apprêtait à coucher le petit Jake.

— Il va dormir longtemps ? s'enquit Sophie.

Les yeux écarquillés, elle avait observé Tori le changer et le nourrir.

— Sans doute jusqu'à ce qu'il ait faim, répondit cette dernière. Les bébés se nourrissent toutes les trois ou quatre heures.

Un petit coup à la porte les interrompit.

— On peut entrer ? s'enquit Nate qui arrivait avec Reece.

— Oncle Reece ! s'écria la fillette. Viens voir Jake.

Reece se pencha sur le berceau.

— Il est vraiment minuscule.

— Il va grandir, assura Sophie avec tout le sérieux d'une grande fille de quatre ans. Tu sais, il prend son lait de sa maman. Comme les chiots et les chatons.

Reece rougit et Emily retint un sourire.

— Oui, je l'ai entendu dire.

— Votre nièce est adorable, reprit Tori. Maintenant, nous allons préparer le déjeuner. Vous le partagez avec nous, Reece, n'est-ce pas ?

Puis, sans lui laisser le temps d'accepter ou de refuser, elle quitta la pièce avec Emily et Sophie.

Les yeux remplis de tendresse et de fierté, Nate regarda son fils endormi.

— N'est-ce pas incroyable ?

— C'est un miracle, c'est vrai.

— A présent que vous avez fait la connaissance de Jake, dites-moi pourquoi vous vouliez me voir, Reece.

Après un instant d'hésitation, Reece se lança.

— A cause de la pluie, le film prend du retard et avec l'accident de Camden, la situation devient préoccupante. Mais Jason vous expliquerait mieux que moi la situation. Bref. Un de nos financiers s'est retiré de l'affaire.

— Emily est-elle au courant ?

Reece secoua la tête.

— J'espère trouver le moyen de résoudre le problème avant de lui en parler.

— De combien avez-vous besoin ?

— Jason vous le dira. Mais je sais qu'il refuse de vous demander un sou.

— Alors comment allez-vous réunir cette somme ?

— J'en ai touché un mot à Jenny et à Camden, et ils sont d'accord pour demander un cachet moindre en échange d'un pourcentage sur les bénéfices à venir.

A ces mots, Nate leva un sourcil étonné.

— Et vous allez suivre leur exemple, je suppose.

— Bien sûr. Et l'équipe aussi. Tout le monde veut participer au film.

— Alors le clan des Hunter aussi.

— Vous le faites déjà, Nate. Grâce à votre contribution, le tournage a pu se faire dans les meilleures conditions.

— Cela ne suffit pas, et si tout s'arrête, cela n'aura servi à rien.

— Aussi avons-nous eu une idée. A votre avis, les habitants de Haven seraient-ils intéressés ? Accepteraient-ils de placer de l'argent dans l'aventure ?

Nate sourit.

— Ils ne nous ont jamais laissés tomber. J'en parlerai à Shane. Son beau-père, Kurt Easton, fait partie du conseil municipal. Il suffit de le lui demander.

— Je n'oserais jamais.

— Pourquoi ? C'est la meilleure solution. De toute manière, vous n'allez pas tarder à vous rendre compte que les gens du coin sont charmants. Il n'y a pas d'endroit plus agréable que Haven pour fonder un foyer et élever une famille. D'ailleurs, n'aimeriez-vous pas vous y installer ? Les prix des terrains sont très raisonnables.

A ces mots, Reece secoua la tête. Comment songer à habiter la région ? Il ne le pouvait pas. Pas avec Emily Hunter à proximité. Et même si la jeune femme passait l'essentiel de son temps à Los Angeles, sa famille vivait ici, et elle reviendrait sûrement lui rendre visite.

Et l'idée de la voir aller et venir sans pouvoir la toucher lui était insupportable.

10.

Au cœur de la plus grande inondation de l'histoire, notre fille, Emily Rebecca a vu le jour. Maintenant que nous avons la responsabilité de cette enfant, j'espère que nous allons y arriver. J'ai envoyé Becky se réfugier chez ses parents avec la petite. Mais quand je les ai vues s'éloigner à la fenêtre du train, j'ai eu envie de courir les rejoindre. Un jour, nous serons tous réunis.
Journal de Jacob

Le soir suivant, les habitants de Haven, très étonnés, envahirent l'auditorium du lycée. Jason, Trent, Camden et Jenny étaient installés à la tribune auprès du conseiller municipal, Kurt Easton. La famille Hunter au grand complet était assise au premier rang.

A l'arrière de la salle, Reece regardait Emily saluer des gens qu'elle connaissait depuis toujours sans doute, des gens qui l'aimaient et qui étaient sûrement prêts à faire n'importe quoi pour elle.

Elle était ravissante. Il pouvait, tout à son aise, mesurer le pouvoir hypnotique de ses yeux bleus, leur capacité à rendre un homme fou. Comment ne pas l'aimer ?

Le maire s'éclaircit la gorge.

— Je vous ai tous invités ce soir pour discuter d'un sujet important, et je vous remercie d'être venus si nombreux. Avant toute chose, j'aimerais vous présenter Jason Michael, le producteur du film, *Les Hunter de Haven*, ainsi que Trent Justice, son réalisateur. Maintenant, je laisse à Jason le soin de vous expliquer la raison de cette réunion.

Sous un tonnerre d'applaudissements, Jason s'empara du micro.

— Merci à tous d'être là. J'en profite pour vous exprimer ma gratitude pour votre accueil. Vous nous avez reçus comme des princes.

— Merci à vous d'avoir amené Camden Peters chez nous ! s'écria une femme dans l'assistance.

— Et Jennifer Tate ! renchérit un homme.

La foule éclata de rire et les deux acteurs échangèrent un petit sourire de connivence.

— Je suis content qu'ils aient accepté d'incarner les héros, reprit Jason. Ce film nous tient très à cœur. Mais nous rencontrons actuellement de gros problèmes, des problèmes financiers, pour être précis.

Des murmures s'élevèrent et Jason réclama le silence.

— Vous savez tous que le mauvais temps et l'accident de Camden nous ont obligés à prendre du retard. Mais nous croyons si fort en ce projet que tous les acteurs ont accepté une importante réduction de leur salaire en échange d'un pourcentage sur les bénéfices attendus. Pourtant, cela ne suffit pas. C'est pourquoi nous nous tournons vers vous. Nous vous proposons de devenir actionnaires des *Hunter de Haven.* Quand il sortira en salles, vous toucherez une partie des profits.

Stupéfaits, les habitants restèrent un instant muets. Une vieille femme finit par lever la main.

— Je m'appelle Emma Harris et je connais les Hunter depuis toujours.

Avec un sourire timide, elle se tourna vers Nate.

— J'avais le béguin pour votre grand-père, je peux bien l'avouer, à présent. Quant à la petite Emily, je suis très fière d'elle. Comme nous tous, j'ai envie de l'aider, d'autant que cette histoire est aussi la nôtre. Voilà pourquoi j'aimerais être la première à souscrire. Je ne serai pas la seule, je le sais. Mais je pense qu'il serait bien de votre part de prendre les habitants pour tourner certaines scènes.

— Vous aimeriez être figurants ? demanda Jason.

Comme toute l'assistance approuvait, Emma se fit leur porte-parole.

— Bien sûr. Beaucoup d'entre nous ont d'ailleurs gardé des vêtements de cette époque dans leur grenier.

Jason regarda Trent qui hocha lentement la tête.

— D'accord, pourquoi pas ?

Soulagé, Reece se dirigea vers la porte. Les problèmes seraient bientôt résolus.

Alors pourquoi se sentait-il si triste ?

Même s'il pleuvait toujours et que l'épaule de Camden le faisait encore souffrir, ils reprirent le tournage deux jours plus tard. A présent, Emily savait que le projet avait été à deux doigts de capoter mais, grâce aux habitants de Haven, ils avaient réuni assez d'argent pour terminer le film.

L'équipe installa le matériel sous une bâche, près de la rivière. Du coin de l'œil, Emily observait Reece qui discutait avec Trent, Jenny et Camden de la scène suivante. Elle évitait Reece le plus souvent possible dans l'espoir de l'oublier. Mais en vain. Toutes les nuits, elle rêvait de lui, et, chaque fois qu'elle le croisait par hasard, elle se remémorait ses baisers.

Comme tous trois se dirigeaient vers elle, elle repoussa ces pensées.

— Emily, peux-tu essayer de faire entendre raison à Trent ? commença Jenny. Nous ne sommes pas d'accord sur la manière de tourner la scène où Rebecca tombe à l'eau et est emportée par le courant. Il a peur d'un accident.

— Il n'est pas question de te laisser courir le moindre risque, Jenny, déclara Camden d'un ton protecteur.

Emily reconnut qu'il avait raison. Elle savait aussi qu'ils ne pouvaient se permettre de prendre davantage de retard. Elle observa un instant la rivière gonflée par les pluies, sachant que ce moment de la vie de Jacob et de Rebecca était un thème central de son scénario.

— Et si je la doublais ? proposa-t-elle soudain.

A ces mots, Trent secoua la tête.

— Ce serait de la folie, Emily.

— Je viens nager ici depuis l'enfance. Et l'eau n'est pas très profonde. Si tu veux, je te signe une décharge.

Les sourcils froncés, le réalisateur se tourna vers Reece.

— Qu'en penses-tu ?

Reece resta impassible.

— Si Emily affirme qu'elle est capable de jouer cette scène, c'est qu'elle le peut, laissa-t-il tomber d'une voix grave.

— Alors c'est d'accord.

Une demi-heure plus tard, le niveau de la rivière était encore monté ; pas autant que lors de l'inondation de 1905 mais assez cependant pour en donner l'impression.

Emily avait revêtu un pantalon d'homme, des bottes, un long manteau et une perruque blonde.

— Tu es donc à la poursuite d'une vache égarée de l'autre côté du gué, lui expliqua Reece en lui tendant les rênes de la jument. Quand tu entreras dans l'eau et que tu en auras jusqu'aux genoux, tu ordonneras à Shadow de se coucher. Elle se laissera alors aller comme si elle perdait pied. Tu tomberas, et tu seras entraînée par le courant. D'accord ?

Son regard se riva au sien.

— Fais seulement bien attention à toi, Emily.

Surprise par la tendresse qui teintait sa voix, elle résista à l'envie de lui caresser la joue.

— Combien de temps te faudra-t-il pour venir à ma rescousse ? demanda-t-elle.

— Environ cinq minutes. Ne t'inquiète pas.

Elle grimpa sur Shadow, essuya la pluie qui ruisselait sur son visage puis trotta jusqu'à l'endroit où se tenait Trent qui lui donna ses directives. Le cœur battant, elle talonna les flancs de la jument et s'élança vers la rivière en crue.

Comme Reece le lui avait recommandé, elle laissa agir Shadow avec une totale confiance en la jument. Le contact avec l'eau glacée fut brutal et elle réprima un cri.

Soulevée par le courant, beaucoup plus fort qu'elle ne l'avait prévu, elle paniqua et perdit l'équilibre. Elle lutta pour tenter de remonter en selle mais ses vêtements trempés la gênaient pour manœuvrer. Très vite les flots l'entraînèrent et elle ne chercha plus qu'à respirer. Au moment où elle sentait ses forces l'abandonner, les bras puissants de Reece lui entourèrent la taille et l'arrachèrent à la rivière déchaînée.

— Je te tiens, lui murmura-t-il à l'oreille. Je ne te laisserai jamais tomber, chérie.

S'abandonnant totalement à lui, elle le laissa la ramener sur la terre ferme. Puis il la souleva dans ses bras, la porta jusqu'à la crique toute proche et l'allongea avec d'infinies précautions sur le sol. Epuisé, il se laissa tomber à son côté. En sentant son corps chaud blotti contre le sien, Emily tressaillit.

Lorsqu'elle leva la tête et croisa le regard de Reece, elle vit briller une lueur de désir dans ses yeux.

— Ça va ? s'enquit-il, le souffle court.

Péniblement, elle hocha la tête.

— Mais j'ai eu un peu peur, avoua-t-elle d'une petite voix.

— Pour ma part, je n'ai jamais été aussi terrifié en vingt ans de carrière.

Avec tendresse, il lui caressa le visage.

— Je ne sais pas ce que j'aurais fait si…

— Coupez ! cria Trent.

Reece se releva aussitôt et l'aida à se mettre sur ses pieds.

— Tu ferais mieux de retirer sans tarder ces vêtements mouillés, lui conseilla-t-il en s'éloignant pour s'occuper de la jument qui l'attendait sagement.

— Bravo, Emily ! lui cria Trent.

Un grand parapluie et une couverture à la main, Jenny se précipita vers elle.

— Voir Reece te sortir de l'eau pour te porter jusqu'à la terre ferme était magnifique ! Cela donnera une émotion supplémentaire à la scène.

— C'est ce que Trent avait demandé à Reece de faire, prétendit Emily.

Mais Jenny la regarda, un sourire au fond des yeux.

— Curieux qu'il ait été aussi surpris alors. Bref ! En tout cas, il va conserver ce passage au montage. Vous allez bien ensemble, tous les deux, ajouta-t-elle. Reece est un type bien, tu sais.

Emily jeta un coup d'œil à Reece qui avait retraversé la rivière pour panser ses chevaux. Comme s'il avait senti son regard braqué sur lui, il se tourna vers elle et un frisson la parcourut.

— Je sais, murmura-t-elle. Il est le seul à en douter.

— Alors il va falloir trouver le moyen de le convaincre que vous êtes destinés l'un à l'autre.

Emily secoua la tête.

— Reece m'a expliqué très clairement qu'il ne souhaitait pas aller plus loin avec moi.

— Camden aussi a lutté contre ses sentiments, répliqua Jenny. Vous avez besoin d'un petit coup de pouce. C'est tout.

Comme le réalisateur la rappelait pour lui demander d'entrer en scène, Jenny ajouta à la hâte :

— Va vite te changer ! On se reverra ce soir, à la fête.

Une petite soirée avait été organisée pour remercier les habitants de Haven de soutenir financièrement le film.

— Je n'avais pas prévu de m'y rendre, répondit Emily.

— Eh bien, organise-toi !

Avant que son amie ne puisse protester, Jenny partit en courant.

— Es-tu sûre d'avoir tout pris ? demanda Reece à sa nièce tandis qu'ils sortaient de l'appartement.

Ils se rendaient au ranch pour assister à la fête et Sophie passerait la nuit chez Nate et Tori.

Reece avait longtemps hésité ; les fêtes l'ennuyaient vite. Mais il avait fini par accepter. Juste pour s'assurer qu'Emily allait bien. Il savait qu'elle avait réellement frôlé la catastrophe cet après-midi. Lorsqu'il l'avait vue disparaître dans le courant, il n'avait jamais eu si peur de sa vie. Elle avait bel et bien failli se noyer. A la manière dont son cœur cessa de battre à cette idée, il comprit brusquement qu'il l'aimait.

Sophie interrompit ses rêveries.

— Oui, j'ai mon pyjama, ma brosse à dents, mes vêtements pour demain et ma poupée…

— Et ton nounours ?

Aussitôt, la fillette leva les yeux au ciel.

— Oncle Reece, je suis plus un bébé !

Dissimulant un sourire, il l'entraîna dehors.

— Je me plais au ranch, poursuivit Sophie.

J'aime beaucoup les Hunter. Je voudrais rester pour toujours.

Bon sang ! Il ne manquait plus que ça !

Avec un soupir, Reece s'accroupit pour se mettre à la hauteur de sa nièce.

— Sophie, ma chérie, nous en avons déjà parlé tous les deux. Quand le film sera terminé, nous retournerons en Californie parce que c'est l'endroit où nous habitons.

A ces mots, la lèvre inférieure de la fillette se mit à trembler.

— Mais j'ai pas d'amis là-bas. Je veux pas quitter Emily.

— Rappelle-toi, je t'ai dit que nous achèterions un ranch au Texas. Avec des chevaux.

— Mais je veux rester ici.

— Ecoute, il est temps de partir.

Il la souleva dans ses bras pour l'installer dans le camion. Puis il grimpa au volant et démarra.

— Oncle Reece ?

— Oui, chérie ?

— Si tu te maries avec Emily, on pourrait rester ici pour toujours.

Vers 10 heures du soir, les invités commençaient à se retirer et Emily préféra rentrer avant que Jenny ne vienne de nouveau la tourmenter avec ses idées de marieuse. Heureusement, entourée de son fan club local, l'actrice ne savait plus où donner de la tête.

Emily s'échappa discrètement et fila vers les écuries. Comme elle passait devant les box, elle ne put s'empêcher de saluer Shadow.

— Salut, toi ! Un peu seule ce soir ? Cela t'ennuie si je te tiens un peu compagnie, ma belle ?

— Alors nous serons trois, répondit une voix familière.

Emily sursauta et vit Reece se diriger vers elle.

— Que fais-tu ici ?

— La même chose que toi… J'ai filé à l'anglaise pour passer voir Toby et Shadow.

Ne voulant surtout pas que Reece pense qu'elle lui courait après, elle hocha la tête.

— Bon, je te laisse alors.

Comme Reece lui prenait le bras pour l'empêcher de s'éloigner, elle poussa un soupir.

— Je t'en prie, Reece, ne fais pas ça.

— J'aimerais…

Il l'étreignit avec force avant de s'emparer de sa bouche.

Ce baiser n'avait rien de doux, rien de tendre ; il n'exprimait qu'un désir intense, une faim incontrôlée.

Incapable de résister, Emily noua ses bras autour du cou de Reece et répondit avec fougue à son baiser.

Le souffle court, Reece s'interrompit.

— J'ai manifestement du mal à lâcher prise, dit-il avec un petit sourire gêné.

— Alors ne le fais pas, murmura-t-elle.

— Emily, cela ne marchera jamais entre nous. Tu souhaites faire carrière à Hollywood.

Il pressa son front contre le sien et ferma les yeux.

— Je ne peux pas te demander de renoncer à tes rêves.

— Et si je voulais…

— Non ! la coupa-t-il. Je ne te laisserai pas. Je n'ai rien à t'offrir.

« Et ton amour ? » eut-elle envie de crier.

— Et je dois me préoccuper de Sophie, ajouta-t-il.

A ces mots, le cœur d'Emily se brisa. Comment pouvait-il ignorer l'affection qu'elle portait à cette petite fille ? Comment pouvait-il ne pas voir que s'occuper de Sophie faisait déjà partie de sa vie ?

— Voilà pourquoi, à la fin du tournage, Sophie et moi partirons pour le Texas, poursuivit-il.

La gorge serrée, elle s'enquit :

— Tu vas donc t'acheter un ranch ?

— Sans doute, répondit-il en détournant les yeux. En tout cas, Hollywood n'est pas un endroit pour une petite fille. Pour moi non plus, d'ailleurs.

Il n'y avait plus rien à ajouter. Sentant les larmes monter à ses yeux, Emily les réprima de toutes ses forces.

— Eh bien, je te souhaite beaucoup de bonheur, ainsi qu'à Sophie. Bonne nuit, Reece.

Et elle quitta les écuries, s'efforçant de ne pas courir.

Les larmes ruisselaient sur son visage, une indicible douleur broyait son cœur, et elle décida de monter au plus vite dans sa chambre. Elle ne voulait voir personne. Mais comme elle passait devant la cuisine, elle croisa sa mère au bras de Sam.

— Emily ! Tu m'as fais peur !

— Désolée, maman. J'allais me coucher.

— Mais tu as pleuré ! Je t'en prie, Emily, ne t'en va pas avant de m'avoir expliqué ce qui se passe.

La jeune femme tenta de sourire.

— Je suis seulement fatiguée, maman. Et je ne veux pas gâcher votre soirée.

Elle embrassa sa mère, puis Sam.

— Je suis très heureuse pour vous. Je vous souhaite tous les deux tout le bonheur possible.

— Depuis combien es-tu au courant... pour nous ? s'enquit Sam, visiblement gêné.

— Pas très longtemps, reconnut-elle. Un soir je suis passée voir maman et je vous ai surpris dans les bras l'un de l'autre.

A ces mots, Betty soupira.

— Nous aurions dû vous l'annoncer plus tôt.

— Sache, Emily, que je ne veux pas prendre la place de ton père, s'expliqua Sam en prenant la main de Betty. Mais j'aime ta mère.

Renonçant à lutter contre ses larmes, la jeune femme hocha la tête.

— Je m'en réjouis pour vous deux. Maintenant, je vous laisse. Je vais voir si Sophie dort bien et me reposer.

Elle se précipita vers l'escalier. Quand elle ouvrit la porte de la chambre où dormait Sophie et vit le lit vide, elle sut qu'une catastrophe venait de se produire.

Pendant l'heure suivante, toute la famille et l'équipe entière se mirent à la recherche de la petite fille. La maison fut passée au peigne fin, comme les écuries et les caravanes.

Rien. Pas la moindre trace d'une petite fille de quatre ans.

— Il y a beaucoup d'endroits où elle aurait pu se cacher, expliqua Nate à Reece pour le rassurer. Quand j'étais gosse, j'avais des centaines de cachettes. Savez-vous pourquoi elle aurait voulu partir ?

Sans doute parce qu'il n'avait pas su remplir son rôle de père convenablement, se dit Reece, furieux contre lui-même et terriblement inquiet.

— Elle aimerait vivre ici pour toujours. Nous en avons parlé ce soir.

Emily les rejoignit, le visage défait par l'inquiétude.

— Je suis désolée, Reece. J'aurais dû veiller sur elle.

— Je suis l'unique responsable.

— Cindy Cooper a vu la petite il y a une heure se diriger vers les écuries, leur apprit Nate. Je vais lui demander des précisions.

Et il s'en alla, laissant Reece et Emily en tête à tête.

Reece repensa soudain à l'échange qu'il avait eu plus tôt avec la jeune femme dans le box de Shadow.

— Elle nous a sans doute entendus discuter. Je n'aurais pas…

— Tu n'y es pour rien, Reece.

— Je n'ai pas été à la hauteur. Je n'ai pas été là quand elle a eu besoin de moi. Comme pour Carrie.

— Reece, ce n'est pas ta faute si les services sociaux vous ont séparés.

— Peut-être que leur décision m'arrangeait. Comme nous n'étions pas ensemble, je n'avais plus à me soucier d'elle.

— Mais tu n'étais qu'un gosse !

Il passa la main dans ses cheveux.

— J'étais son frère. J'aurais dû l'aider. Elle dépendait de moi.

— Carrie savait que tu l'aimais. Et que tu serais là pour Sophie. Sinon elle ne te l'aurait pas confiée à sa mort.

Les larmes aux yeux, elle ajouta :

— Sophie a beaucoup de chance de t'avoir.

— Emily, je ne peux pas l'avoir perdue ! Et si l'assistance sociale apprend qu'elle s'est enfuie, elle me la retirera.

— Personne ne te l'enlèvera, Reece. Tu es un père merveilleux pour elle. Et elle t'aime.

— Merci, murmura-t-il en la prenant dans ses bras.

— J'ai une idée, s'exclama soudain la jeune femme. Elle a dû se réfugier dans la sellerie !

Reece s'y précipita, Emily sur ses talons. Quand il ouvrit la porte, il découvrit la fillette, roulée en boule dans un coin, un chaton dans les bras.

— Sophie ! s'écria-t-il en la prenant dans ses bras.

En proie à une indicible émotion, il la couvrit de baisers et, soulagé, se laissa tomber sur un tabouret, sans la lâcher.

— Oh, chérie, j'ai eu si peur ! Pourquoi t'es-tu enfuie ?

— Je voulais embrasser les chats pour leur dire bonsoir. Et puis je t'ai entendu parler avec Emily. Tu lui as dit que nous allions partir bientôt. Je n'ai pas envie de m'en aller, oncle Reece.

— Mais tu n'aurais jamais dû te cacher ! Tu nous as fait très peur.

A ces mots, la lèvre inférieure de Sophie se mit à trembler et ses yeux s'embuèrent de larmes.

— Pourquoi ne pas reparler de tout cela demain matin ? proposa Emily en prenant le chaton des mains de la fillette. Il est l'heure d'aller se coucher.

Reece emporta sa nièce dans ses bras pour la monter à l'étage. Dans la chambre, il l'allongea sur le lit et la borda avec tendresse.

— Je t'aime, oncle Reece.

La gorge serrée, il lui caressa la joue.

— Moi aussi, chérie. Je t'aime plus que tout.

— Je t'aime, Emily.

— Moi aussi je t'aime très fort, ma puce, répondit Emily, émue.

Comme elle s'apprêtait à quitter la pièce, Sophie la rappela.

— Je voudrais vivre ici pour toujours et que tu sois comme ma maman.

Reece vit l'émotion pétrifier littéralement la jeune femme. Hochant la tête, elle partit à la hâte.

— J'ai fait de la peine à Emily, oncle Reece ?

— Non. Je crois que tout le monde est très fatigué. Maintenant, dors, ordonna-t-il en l'embrassant de nouveau.

Une larme coula sur la joue de la petite fille.

— Pardon, oncle Reece.

— Nous t'avons retrouvée et c'est tout ce qui importe.

— Mais maman m'avait dit que je devais t'obéir et être gentille.

Reece écarquilla les yeux.

— Ta mère t'a parlé de moi ?

— Oui. Elle m'a raconté tout ce que vous faisiez quand vous étiez petits. Elle m'a dit que tu étais le meilleur grand frère de la terre.

Reece s'efforça de lutter contre l'émotion qui menaçait de le submerger. Carrie avait-elle vraiment pensé qu'il avait été un grand frère à la hauteur ?

— Je n'ai pas pu m'occuper longtemps de ta maman, tu sais.

— Je sais mais elle m'a dit que tu jouais avec elle, que tu lui tenais la main quand elle avait peur.

— Je l'aimais énormément, murmura-t-il. Elle est ce que j'ai vécu de mieux… jusqu'à ce que je fasse ta connaissance, mon cœur, ajouta-t-il avec un sourire.

— Et maman m'a dit que tu prendrais toujours soin de moi parce que tu es le meilleur oncle du monde entier.

Incapable de prononcer un mot de plus, Reece l'embrassa avec force et quitta la chambre.

Il sortit dans le jardin pour tenter de recouvrer ses esprits. Il ne savait pas ce qu'il aurait fait s'ils n'avaient pas retrouvé la fillette. Depuis des mois, elle avait pris une place importante dans sa vie, et il était incapable de s'imaginer vivre sans elle.

La porte s'ouvrit et Nate apparut.

— Alors ? Comment ça va ?

— Je remercie la Providence.

— Je comprends ce que vous voulez dire. Cette petite fille a pris une grande place dans nos cœurs.

— Je suis désolé de tout le dérangement qu'elle a occasionné.

— Les amis et la famille sont là pour ça. Mais vous avez beaucoup de mal à demander l'aide d'autrui, n'est-ce pas ?

Reece sourit tristement.

— Oui. J'ai toujours pensé qu'il valait mieux ne compter que sur soi.

— C'est étonnant pour un homme toujours prêt à rendre service. Quand les ennuis se sont accumulés sur le tournage, vous vous êtes démené pour sauver la situation, même si personne ne s'en est douté.

— Je préférais qu'Emily ne sache pas que…

— Vous êtes amoureux d'Emily, n'est-ce pas ? Inutile de le nier, j'ai vu en elle une différence après la nuit que vous avez passée ensemble, dans la cabane, à cause de l'orage.

A ces mots, le cœur de Reece s'accéléra.

— Je vous donne ma parole d'honneur qu'il ne s'est rien passé.

— Ce ne sont pas mes affaires. Ma sœur est majeure et vaccinée. Mais je la crois sincèrement amoureuse de vous, et à en juger par la tristesse peinte sur votre visage, vous aussi.

— Je ne suis pas fait pour elle. Je n'ai rien à lui offrir. Je dois d'abord penser à Sophie.

Nate soupira et son regard se fit plus lointain.

— Vous savez, je pensais la même chose à propos

de Tori. Je suis tombé fou d'elle au premier regard. Mais quand j'ai découvert qu'elle venait d'une famille huppée de San Francisco, je l'ai laissée partir, persuadé qu'elle ne serait jamais heureuse dans un ranch. Heureusement, par la suite, j'ai recouvré mes esprits et je suis retourné la chercher.

— Emily a envie de mener une carrière à Hollywood.

— Et vous, vous souhaitez élever des chevaux. Mais vous pourriez très bien partager votre vie entre la Californie et ici. Je crois vous avoir dit que j'avais besoin d'un responsable de ranch. Si le coin ne vous déplaît pas, il y a des terres à vendre dans la région. Et à un prix raisonnable.

Reece passa une main lasse sur son visage.

— Réfléchissez à tout cela, reprit Nate. Ah ! Une dernière chose. Comme je n'avais pas assez d'argent pour racheter le ranch, toute la ville s'est associée pour m'aider. Alors, avant de gâcher bêtement votre vie par fierté mal placée, dites-vous que tout le monde a besoin d'un coup de main parfois.

— Mais comment puis-je savoir si Emily a envie de fonder une famille avec Sophie et moi ?

— Désolé, mon vieux, mais je n'ai pas la réponse à cette question.

11.

L'été tient ses promesses. Nous avons connu le meilleur et le pire dans cette vallée. J'ai vendu du bétail et acheté une jument. Becky a planté un jeune pommier. Si je fais le bilan, l'année a été globalement bonne.

Journal de Jacob

Emily dormit mal cette nuit-là. Partager son lit avec une petite fille n'était pas très reposant. Et elle ne pouvait s'empêcher de songer au peu de temps qu'il lui restait à vivre avec l'enfant. Le film serait bientôt fini et Reece n'aurait plus de raisons de prolonger son séjour au ranch.

Quand le soleil se leva, elle lutta contre les larmes qui brûlaient ses paupières et regarda dormir Sophie. Non seulement, elle allait perdre Reece mais aussi cette fillette à laquelle elle s'était profondément attachée.

Sophie battit des paupières et ouvrit les yeux.

— Tu es triste Emily ?

Secouant la tête, la jeune femme se força à sourire.

— Non, je suis très contente de t'avoir retrouvée.

— Je n'étais pas perdue.

— Tu dois quand même faire attention. Et toujours prévenir ton oncle quand tu vas quelque part.

- Oui, on me l'a expliqué à l'école. Et aussi qu'il ier si quelqu'un de méchant essaie de m'attraper. oncle Reece ne laissera jamais personne me faire du mal.

— Bien sûr. Mais il a eu très peur, hier soir. Peut-être devrais-tu lui promettre de ne jamais recommencer.

— D'accord. Tu viens avec moi ?

Emily n'avait aucune envie de revoir Reece mais elle n'eut pas le cœur de refuser.

— D'accord.

Une fois habillées, elles descendirent dans la cuisine. Nate et Tori n'étaient pas là mais Reece s'activait devant les fourneaux.

— Bonjour, mesdemoiselles.

Sophie se précipita vers lui.

— Oncle Reece, je ne m'enfuirai plus jamais ! Promis.

— Tant mieux, dit-il en l'embrassant.

En les regardant, Emily regretta de n'être pas, elle aussi, dans ses bras. Le tablier noué sur ses hanches ne retirait rien à sa beauté virile. Bien au contraire.

— Bonjour, Emily.

— Bonjour, Reece. Où sont passés Nate et Tori ?

— Ils sont en ville pour la première visite de Jake chez le docteur. Tu vas donc être obligée de me faire la conversation, ajouta-t-il avec un sourire en coin.

— Tu prépares le petit déjeuner, oncle Reece ?

— Bien sûr. Je fais des crêpes.

— Super ! s'écria la fillette, ravie.

— Emily ? Tu prendras des crêpes aussi ?

— Il faut d'abord que j'aille voir le programme de la journée, dit-elle, se préparant à quitter la cuisine.

Mais Reece posa la main sur son bras.

— Trent et Jason se sont aussi absentés pour la matinée. Je t'en prie, prends ton petit déjeuner avec nous.

Ce n'était pas une bonne idée, lui criait une petite voix. Pouvait-elle s'asseoir et se comporter avec Reece comme si elle n'était pas folle amoureuse, discuter avec lui comme avec un vieux copain ? Elle regarda la fillette attablée et comprit soudain... que c'était au-dessus de ses forces. Cette scène de famille parfaite lui était insupportable.

— Je ne peux pas, répondit-elle doucement.

Et elle s'enfuit dans le hall pour s'éloigner au plus vite de ce dont elle rêvait et qu'elle n'aurait jamais.

Deux heures plus tard, montée sur Maggie, Emily retournait à l'ancienne cabane.

Comme elle ne parvenait pas à chasser Reece de son esprit, elle éprouvait le besoin de revenir là où tout avait commencé pour tenter d'exorciser ses souvenirs. Après un galop qui lui permit de se vider la tête, elle attacha sa monture à un arbre et se dirigea vers l'étable.

Il y avait peu de traces de leur nuit passée ensemble.

Elle s'approcha des restes du feu que Reece avait allumé, là où il avait failli lui faire l'amour... Le cœur brisé, elle se rappela ce moment magique dans ses bras. Comme les larmes roulaient sur ses joues, elle les essuya d'un geste rageur.

Par la lucarne, elle vit soudain Nate arriver à cheval. Son frère sauta à terre et se dirigea vers elle.

— Ce serait sympa de ta part de prévenir quand tu t'en vas, petite sœur. Nous étions tous inquiets.

Incapable de se maîtriser plus longtemps, Emily éclata en sanglots.

— Je suis désolée, Nate, je… j'avais besoin d'être seule.

— Ton chagrin a-t-il un rapport avec un beau cow-boy têtu ?

— Je ne veux pas en parler.

— Quelle tête de mule ! Vous faites bien la paire tous les deux !

Nate sortit son téléphone portable, annonça à quelqu'un qu'il l'avait retrouvée puis raccrocha.

— Quand j'essayais de gagner le cœur de Tori, je ne me suis jamais mis dans des états pareils, tu sais.

— Parce que vous vous aimiez.

Elle se moucha, furieuse de se montrer dans cet état à son frère. Que lui arrivait-il ? Elle n'avait pourtant jamais été du genre à pleurnicher pour rien.

— Je suis désolée, Nate. Je suis un peu fatiguée en ce moment. Mais je vais oublier Reece très vite, et cela ira mieux.

— L'oublier ? En as-tu vraiment envie ?

— Je n'ai pas le choix. Il ne veut pas de moi.

— Erreur ! Pourquoi, à ton avis, a-t-il eu l'idée géniale de récolter des fonds auprès des habitants pour sauver le film ? Pourquoi a-t-il renoncé à son salaire ?

— Il a renoncé à son salaire ? Mais il a besoin de cet argent pour acheter un ranch !

Avant que Nate puisse répondre, Reece apparut, monté sur Toby.

— Ah, je crois qu'il va te l'expliquer lui-même.

Comme Reece s'approchait d'eux, Nate le salua avant de s'en aller.

Emily regarda Reece s'avancer vers elle. Qu'il était beau avec ses épaules carrées, sa démarche féline et ses yeux perçants… Même s'il lui avait fait très mal, elle ne pouvait s'empêcher de l'aimer. Il n'avait pas le droit de venir la torturer ainsi !

— Je t'en prie, Reece, laisse-moi tranquille ! J'ai besoin d'être seule un moment.

— Je crois que nous devons discuter.

Comme elle tentait de reculer, il l'enlaça et la serra étroitement contre lui. Oubliant toute résistance, elle se blottit dans ses bras.

— Emily, je n'ai pas envie que nous soyons de simples amis. Je veux tout de toi.

Il s'empara de sa bouche et l'embrassa avec passion. Seigneur ! Comment avait-il pu s'imaginer vivre sans elle ? A la vue de la douleur qui teintait le regard de la jeune femme, il se reprocha de l'avoir fait souffrir et se jura que désormais, il la rendrait heureuse.

— Je ne suis pas très à l'aise avec les mots mais j'aimerais te dire que…

— Ne te fatigue pas. Je sais que tu ne peux pas m'offrir…

— Chut…

Il prit sa main.

— La nuit que nous avons passée ici, je te désirais comme un fou. Mais avec l'enfance que j'ai connue, j'ai toujours eu peur de ne pas être capable d'être un mari à la hauteur, ni un bon père. Et puis je suis entré dans ce café et tu as bouleversé toute mon existence, ajouta-t-il, le cœur battant. Alors j'ai décidé d'acheter le ranch des Baker et de m'installer. La maison a besoin d'être restaurée mais les écuries sont en parfait état. Grâce à Nate, Church Baker a accepté de me vendre sa propriété. Et jusqu'à ce que j'aie les moyens de monter mon propre élevage, je dirigerai le double H.

— C'est formidable, Reece.

Et, brusquement, elle eut envie de s'enfuir loin d'ici.

Mais Reece la rattrapa. La bouche contre son oreille, il murmura :

— Ne pars pas, Emily ! Je ne peux pas vivre sans toi. Si tu me quittes, j'en mourrais. Je t'aime, Emily. Je t'ai fait du mal, je le regrette. Ma stupide fierté m'empêchait d'imaginer un avenir commun. Je t'en prie, donne-moi une seconde chance.

Emily tremblait comme une feuille quand Reece la lâcha. Elle vit la douleur qui brillait dans ses yeux. Elle vit aussi la sincérité, et une petite flamme qui ressemblait étrangement à de l'amour.

— Répète-le, murmura-t-elle.

— Je t'aime, Emily Hunter. Je t'aime de tout mon cœur.

— Oh, Reece, je t'aime aussi !

Il l'embrassa avec une telle passion que lorsqu'il la libéra, elle tenait à peine sur ses jambes.

— Et il n'est pas question que tu renonces à ta carrière pour moi, dit-il. Si tu veux, nous pourrions vivre dans deux endroits différents. Qu'en penses-tu ?

Elle ne put s'empêcher de sourire.

— Tout dépend de ce que tu me proposes, cowboy.

Il retira son chapeau et mit un genou à terre.

— Emily Hunter, acceptes-tu de devenir ma femme ? Et la maman de Sophie ?

Le cœur d'Emily bondit dans sa poitrine, et ses yeux se remplirent de larmes. Mais elle ne trouva pas ses mots pour exprimer son bonheur.

Reece se leva et la reprit dans ses bras.

— Il faut nous marier vite. Je ne tiendrai pas longtemps.

Elle sourit tandis qu'il picorait son visage de baisers brûlants et, les yeux clos, savoura la douceur de ses caresses.

— Penses-tu pouvoir attendre la fin du tournage des *Hunter de Haven* ? demanda-t-elle.

Il gémit.

— Si tu restes tout près de moi, peut-être. Et si nous nous retrouvons ici le plus souvent possible.

Le bruit d'un moteur de voiture empêcha la jeune femme de répondre. Une portière claqua et Sophie s'élança vers eux.

— Oncle Reece et Emily ! J'avais peur que vous vous soyez perdus.

Reece l'embrassa.

— Tout va bien, chérie. Nous étions seulement en train de bavarder. Et j'ai de bonnes nouvelles à t'annoncer. Emily va se marier avec moi et vivre avec nous dans notre ranch.

A ces mots, les yeux de la fillette s'écarquillèrent puis elle murmura quelque chose à l'oreille de son oncle.

— Oui ma chérie, Emily veut bien être ta maman.

— Si tu veux de moi, ma puce, ajouta Emily. J'ai toujours rêvé d'une petite fille.

Les yeux brillant de joie, la fillette se tourna vers Nate qui s'approchait en souriant.

— Nate ! Je vais avoir un papa et une maman !

— Félicitations et bienvenue dans la famille Hunter ! Maintenant, Sophie, laissons tes parents continuer à discuter tranquillement et rentrons.

— Ils vont s'embrasser, tu crois ?

Avec un clin d'œil complice, Nate sourit à sa sœur.

— Oui, très certainement.

Dès qu'ils furent partis, Reece reprit Emily dans ses bras.

— Je n'aurais jamais cru qu'un jour, je fonderais une famille et que je ferais partie d'un clan.

— Tu as tant d'amour à donner ! Ta sœur le savait quand elle t'a confié sa fille à élever. Grâce à toi, Sophie est heureuse. Et nous, nous allons aussi être heureux.

Reece ferma les yeux et soupira.

— Oh, Emily ! Quand je pense que j'ai failli te quitter. J'ai eu beaucoup de chance le jour où je me suis arrêté devant le Café des Amis, tu sais.

— Cela faisait partie du service.

Puis leurs lèvres se rejoignirent pour un long baiser d'amour et de promesses.

Épilogue

Un nouveau grand bonheur nous est donné avec la naissance de notre fils, Zachary Jacob. Et nous nous retrouvons soudain à l'étroit dans notre cabane. Quitter cette maisonnette nous déchire le cœur mais il le faut. Je vais donc construire une grande maison, capable d'accueillir une famille nombreuse. Plus tard, elle abritera aussi les générations à venir, les nombreux Hunter qui découvriront à leur tour la beauté sauvage de ce petit coin de paradis.

Journal de Jacob

Emily poussa la porte du Café des Amis et aperçut Reece au comptoir en train de boire un café. A sa vue, son cœur s'emballa. Depuis leur mariage, un mois plus tôt, elle avait dû retourner à Los Angeles pour travailler au montage des *Hunter de Haven.*

Mais à présent, le film était enfin terminé et elle se réjouissait de rentrer à la maison.

Elle observa le reflet de Reece dans le grand miroir mural. Comme il ne l'avait pas encore remarquée, elle en profita pour l'admirer de loin, ne pouvant se rassasier de sa beauté.

Soudain, la petite Sophie sortit de la cuisine et Emily sourit en la voyant revêtue de l'uniforme miniature des serveuses de la brasserie. Comme si l'enfant avait fait cela toute sa vie, elle tendit le menu à son oncle.

— Bienvenue au Café des Amis. Je suis Sophie.

Levant les yeux, Reece aperçut alors sa femme et se leva pour l'accueillir.

— Elle est presque aussi adorable dans cette tenue que tu l'étais, dit-il. Mais indiscutablement, tes jambes sont mieux galbées que les siennes.

— Ah ? Tu l'as remarqué ?

— Plus d'une fois, assura-t-il d'une voix rauque.

Sans se soucier des clients disséminés dans la salle, il l'embrassa avec passion. Elle lui rendit ses baisers avec la même fougue.

— Comme tu m'as manqué ! Une semaine sans toi, c'est interminable.

A la fin du tournage, ils s'étaient mariés dans l'ancienne cabane de Jacob et de Rebecca et y avaient passé leur lune de miel. Les larmes montèrent aux yeux d'Emily en repensant à la tendresse dont Reece avait fait preuve cette nuit-là.

Elle se blottit plus près contre lui.

— Je ne vais plus nulle part. A présent, je reste ici. Avec toi et Sophie, mon bonheur est complet.

Après leur lune de miel, ils s'étaient installés dans la maison du contremaître en attendant que Shane et Reece aient fini de restaurer la vieille demeure des Baker. Mais Emily avait hâte d'emménager dans leur ranch.

Soudain, Sophie remarqua sa présence.

— Maman, maman, tu es rentrée !

La jeune femme s'agenouilla et la serra contre elle.

— Oui, je suis revenue, chérie. Et pour longtemps. Mais dis-moi, j'ai l'impression que tu es très occupée !

— J'ai trouvé du travail, expliqua-t-elle fièrement. Papa Sam me paie un dollar par heure. Et les gens me donnent des pourboires quand je les sers bien.

— Tu es très riche alors !

A cet instant, Sam sortit de la cuisine avec Betty.

— Je vois que vous avez une nouvelle serveuse, Sam, lui lança Emily.

— Plus tôt on commence le métier, meilleur on est, je l'ai toujours dit.

— N'est-elle pas adorable ! s'exclama Betty en regardant l'enfant avec amour.

Nate et Tori, Jake dans son couffin, suivis de Shane et de Mariah arrivèrent à leur tour.

— Nous venons de chez le médecin ! s'exclama Shane, un grand sourire aux lèvres. Comme j'en avais l'intuition, c'est bien une fille que nous attendons !

Emily glissa un œil vers Reece. Elle aurait tellement aimé être enceinte, elle aussi.

Tandis que tout le monde félicitait les futurs parents, Reece lui murmura à l'oreille :

— Je donnerais beaucoup pour avoir un enfant avec toi. Mais ta carrière est prioritaire.

— Moi aussi, je rêve d'un bébé de toi. Attendons la sortie du film en avril. Puis nous nous lancerons dans l'aventure.

Il l'embrassa avec passion.

— Je t'aime, Emily McKellen.

Gênés, ils se rendirent soudain compte que tout le monde les regardait.

— Mais ne vous interrompez pas pour nous ! s'exclama Shane en riant.

— Ils s'embrassent tout le temps, soupira Sophie.

Parfois ils vont dans leur chambre et ferment la porte.

— Oh… Je crois qu'il est temps de rentrer, décida Reece.

— Attendez ! intervint Sam en prenant Betty par la main. Nous avons aussi une grande nouvelle à vous annoncer. Depuis des années, je suis amoureux de Betty, vous le savez. Alors je lui ai demandé de m'épouser… Et elle a accepté !

A ces mots, tous les Hunter se mirent à applaudir et à s'embrasser.

Emily regarda son mari, Sophie dans les bras, et son cœur fondit. Quand Reece l'attira à lui, elle lui entoura la taille avec tendresse.

— Je vous aime, murmura-t-elle, un sourire heureux sur les lèvres.

collection Horizon

PROCHAINS RENDEZ-VOUS LE

15 juillet 2007

UN AVENIR À CONSTRUIRE, de Rebecca Winters • n°2119

Future Maman

Chargée par une prestigieuse chaîne de restaurants anglais de se rendre en France afin d'y acheter les meilleurs vins, Rachel tombe sous le charme de Luc Chartier, un viticulteur alsacien. Une attirance partagée, qui les conduit à vivre une intense nuit d'amour, dont Rachel mesure bientôt les lourdes conséquences : elle attend un bébé...

LE DÉFI DU BONHEUR, de Natasha Oakley • n°2120

Tout juste embauchée chez Kingsley et Bressington, Jemima Chadwick est désemparée quand elle rencontre Miles Kingsley, son nouveau patron, un homme très sûr de lui, arrogant et séducteur, qui semble à peine la remarquer. Pourtant, Jemima n'a pas le choix : parce qu'elle a besoin de ce travail, elle réussira à s'imposer auprès de cet homme aussi autoritaire que séduisant...

UN PAPA À AIMER, de Teresa Carpenter • n°2121

Arrivée depuis peu à Blossom, Cherry Cooper trouve cette petite ville charmante et tous ses habitants très sympathiques. Tous, sauf Jason Strong, le maire, qui lors de leur première rencontre, lui réserve le plus glacial des accueils. D'abord agacée, Cherry est vite intriguée par cet homme qui s'occupe seul de Rikki, sa fille de trois ans, depuis la mort de sa femme...

PASSION HAWAÏENNE, de Judy Christenberry • n°2122

À la recherche de sa mère, qui s'est enfuie en compagnie d'un certain Abe Rampling, Julia Chance fait la connaissance de Nick, le fils de ce dernier. Mais la sympathie que Julia éprouve d'abord pour Nick se transforme vite en indignation quand celui-ci lui laisse entendre qu'il soupçonne sa mère de n'en vouloir qu'à la fortune de son nouveau fiancé...

Attention, numérotation des livres pour le Canada différente : n°847 au n°850.

Composé et édité par les
éditions Harlequin
Achevé d'imprimer en mai 2007

à Saint-Amand-Montrond (Cher)
Dépôt légal : juin 2007
N° d'imprimeur : 70706 — N° d'éditeur : 12853

Imprimé en France